La Grande Collection Micro-Ondes

Friandises cadeaux

Grolier Limitée
MONTRÉAL, QUÉ.

Introduction

Comment utiliser ce livre
Conçus pour vous faciliter la tâche, les suppléments de la *Grande Collection* présentent leurs recettes d'une manière uniforme.

Nous vous suggérons de consulter en premier lieu la fiche signalétique de la recette. Vous y trouverez tous les renseignements dont vous avez besoin pour décider si vous êtes en mesure d'entreprendre la préparation d'un plat : temps de préparation, coût par portion, degré de complexité, nombre de calories par portion et autres renseignements pertinents. Par exemple, si vous ne disposez que de 30 minutes pour préparer le repas du soir, vous saurez rapidement quelle recette convient à votre horaire.

La liste des ingrédients est toujours clairement séparée du corps du texte et, lorsque l'espace nous le permettait, nous avons ajouté une photographie de ces éléments regroupés : vous disposez donc d'une référence visuelle. Cet aide-mémoire, qui vous évite de relire la liste, constitue une autre façon d'économiser votre temps précieux.

Par ailleurs, pour les recettes comportant plusieurs étapes de préparation, nous avons illustré celles qui nous semblaient les plus importantes pour le succès de la recette ou la présentation du plat.
La cuisson de tous les plats présentés est faite dans un four à micro-ondes de 700 W. Si la puissance de votre four est différente, consultez le tableau de conversion des durées de cuisson que vous trouverez à la page 6.

Soulignons que le temps de cuisson donné dans le livre est un temps minimal. Au besoin, si la cuisson du plat ne vous semble pas suffisante, vous pourrez le remettre au four quelques minutes. En outre, le temps de cuisson peut varier selon la teneur en humidité et en gras, l'épaisseur, la forme, voire même la provenance des aliments. Aussi, avons-nous prévu, pour chaque recette, un espace vierge dans lequel vous pourrez inscrire le temps de cuisson vous convenant le mieux. Cela vous permettra d'ajouter une touche personnelle aux recettes que nous vous suggérons et de reproduire sans difficulté vos meilleurs résultats.

Bien que nous ayons regroupé les informations techniques en début de volume, nous avons parsemé l'ouvrage de petits encadrés, appelés **TRUCS MO**, expliquant des techniques particulières. Concis et clairs, ils vous aideront à mieux réussir vos mets.

Dès la préparation de la première recette, vous découvrirez à quel point la cuisine micro-ondes fait appel à des techniques simples que, dans bien des cas, vous utilisiez déjà pour la cuisson au moyen d'une cuisinière traditionnelle.
Si pour vous, comme pour nous, cuisiner est un plaisir, le faire au four à micro-ondes agrémentera encore davantage vos préparations culinaires.
Mais c'est déjà prêt.
À table.

L'éditeur

Table des matières

Introduction **4**

Niveaux de puissance **6**

Table de conversion **7**

Les friandises cadeaux **8**

La pâtisserie **10**

Les confiseries : le sucre et sa cuisson **12**

Les conserves **14**

Les pâtisseries cadeaux **16**

Les confiseries cadeaux **34**

Conserves à offrir **86**

Conseils **105**

Les mots des friandises cadeaux **106**

Les appellations culinaires **108**

Index **109**

 Les suppléments de la Grande Collection Micro-Ondes vous feront découvrir certains aspects de l'art culinaire souvent oubliés lorsqu'il s'agit de les adapter à la cuisson au four à micro-ondes. Pour la première fois, les ménages québécois pourront consulter des ouvrages thématiques fort originaux, consacrés à la cuisson micro-ondes, entièrement conçus et réalisés au Québec.

Chacun de ces nouveaux tomes se concentre sur un thème précis, ce qui en facilite la consultation. Ainsi, par exemple, si vous cherchez des idées pour garnir votre boîte à lunch, vous n'aurez qu'à vous référer au livre consacré à cette question. Il est à noter que chaque livre s'accompagne de son index.

Faciles à consulter, les suppléments de la Grande Collection Micro-ondes sauront devenir des outils culinaires aussi utiles et indispensables que votre four à micro-ondes.

Bonne lecture et, surtout, bon appétit !

Niveaux de puissance

Toutes les recettes de ce livre ont été testées dans un four de 700 W. Comme il existe un grand nombre de fours à micro-ondes dans le commerce, avec des niveaux de puissance différents, et que les appellations de ces niveaux varient d'un fabricant à l'autre, nous avons préféré donner des pourcentages. Pour adapter les niveaux de puissance donnés, consultez le tableau ci-contre et le livret d'utilisation afférent à votre four.

Ainsi, si vous possédez un four de 500 W ou de 600 W, vous devrez majorer les temps de cuisson mentionnés d'environ 30 %. Précisons que plus la durée de cuisson est brève, plus la majoration peut être importante en termes de pourcentage. Le chiffre de 30 % ne représente donc qu'une moyenne. Consultez le tableau ci-contre pour vous aider à ce chapitre.

Tableau d'intensité

FORT - HIGH : 100 % - 90 %	Légumes (sauf pommes de terre bouilies et carottes) Soupes Sauces Fruits Coloration de la viande hachée Plat à rôtir Maïs soufflé
MOYEN - FORT - MEDIUM HIGH : 80 % - 70 %	Décongélation rapide de mets déjà cuits Muffins Quelques gâteaux Hot dogs
MOYEN - MEDIUM : 60 % - 50 %	Cuisson des viandes tendres Gâteaux Poissons Fruits de mer Oeufs Réchauffage des aliments Pommes de terre bouillies et carottes
MOYEN - DOUX - MEDIUM LOW : 40 %	Cuisson de viandes moins tendres Mijotage Fonte du chocolat
DÉCONGÉLATION - DEFROST : 30 % DOUX - LOW : 20 % - 30 %	Décongélation Mijotage Cuisson de viandes moins tendres
MAINTIEN - WARM : 10 %	Maintien au chaud Levage de la pâte à pain

700 W	600 W*
5 s	11 s
15 s	20 s
30 s	40 s
45 s	1 min
1 min	1 min 20 s
2 min	2 min 40 s
3 min	4 min
4 min	5 min 20 s
5 min	6 min 40 s
6 min	8 min
7 min	9 min 20 s
8 min	10 min 40 s
9 min	12 min
10 min	13 min 30 s
20 min	26 min 40 s
30 min	40 min
40 min	53 min 40 s
50 min	66 min 40 s
1 h	1 h 20 min

* Il y a peu de différence entre les durées applicables aux fours de 500 watts et ceux de 600 watts.

Table de conversion

Table de conversion des principales mesures utilisées en cuisine

Mesures liquides

1 c. à thé . . . . 5 ml
1 c. à soupe . . . . .15 ml

1 pinte . . .(4 tasses) . . .1 litre
1 chopine . (2 tasses) .500 ml
1 tasse . . . . .250 ml
1/2 tasse . . . . .125 ml
1/4 de tasse . . . . .50 ml

Mesures de poids

2,2 lb . . . . .1 kg (1 000 g)
1,1 lb . . . . .500 g
0,5 lb . . . . .225 g
0,25 lb . . . . .115 g
1 oz . . . . .30 g

Équivalence métrique des températures de cuisson

49°C . . . . .120°F	120°C . . . . .250°F
54°C . . . . .130°F	135°C . . . . .275°F
60°C . . . . .140°F	150°C . . . . .300°F
66°C . . . . .150°F	160°C . . . . .325°F
71°C . . . . .160°F	180°C . . . . .350°F
77°C . . . . .170°F	190°C . . . . .375°F
82°C . . . . .180°F	200°C . . . . .400°F
93°C . . . . .190°F	220°C . . . . .425°F
107°C . . . . .200°F	230°C . . . . .450°F

Les lecteurs noteront que, dans les recettes, nous convertissons 250 ml en 1 tasse ou encore 450 g en 1 lb. Cela s'explique par le fait qu'en cuisine, il est peu pratique de donner des conversions arithmétiques justes. En effet, les instruments de mesure ne permettent pas d'obtenir des quantités aussi précises mais peu commodes que 454 g (1 lb), par exemple. Nous devons donc utiliser des équivalences approximatives, ce qui peut donner lieu à certaines contradictions arithmétiques. Par contre, du fait que les quantités sont toujours exprimées dans les deux systèmes de mesure (métrique et impérial), cette façon de procéder ne devrait poser aucune difficulté.

Les symboles

Légende des pictogrammes

Dans le but de faciliter la lecture des fiches signalétiques des recettes, nous avons prévu des pictogrammes indiquant le niveau de complexité et le coût.

Le symbole vous rappelle d'inscrire votre temps de cuisson dans l'espace prévu à cette fin.

Complexité

préparation facile

difficulté moyenne

préparation pouvant comporter certaines difficultés

Coût par portion

$ économique

$ $ coût moyen

$ $ $ coût élevé

Les friandises cadeaux

Il est plus agréable de donner que de recevoir semble-t-il. Lorsque ce plaisir se double de la satisfaction d'avoir fabriqué ce que l'on offre, il n'y a plus rien de comparable. Une touche de gaieté ajoutée au contenant et un contenu qui fait rêver, voilà ce que sont les friandises cadeaux.

Le plaisir d'offrir...

Pourquoi dépenser beaucoup de temps ou d'argent pour fabriquer le contenant? L'amitié se contente de peu. Une boîte de fer blanc ou une boîte de carton décorée de papier coloré, ou un pot de verre recouvert d'un morceau d'étoffe de couleur, d'un ruban et d'une jolie étiquette feront très bien l'affaire. Laissez courir votre imagination car créer fait aussi partie du plaisir d'offrir.

... des pâtisseries

L'arôme qui se dégage des petits gâteaux encore chauds est incomparable. C'est d'ailleurs l'un des premiers plaisirs de la pâtisserie que découvrent les enfants. Mais on ne fait pas de la pâtisserie que pour l'arôme! Que vous ayez décidé de cuisiner pour réchauffer un après-midi d'hiver un peu frisquet ou qu'un repas d'anniversaire s'annonce, c'est avec une joie renouvelée que l'on prépare les pâtisseries : biscuits deux tons ou à l'eau de rose, vaisseaux spatiaux ou petits dômes au chocolat ; déjà vous pouvez imaginer les mines réjouies !
Vous savez que votre «cadeau» sera très apprécié.

... des confiseries

La confiserie! L'art qui régale les gourmands : bonbons de sucre cuit, caramel onctueux et chocolat fondant dans la bouche. Les recettes que nous vous proposons sont faciles à exécuter et ne vous demandent, pour les réussir, qu'un peu de dextérité. Vous trouverez aux pages 12 et 13 des explications sur la façon de vérifier la cuisson du sucre, ainsi qu'un tableau des stades de cuisson qui vous guidera vers le succès. Vous ressentirez une grande satisfaction lorsque viendra le moment d'offrir ces roses de sables, ces gaufrettes à l'orange ou ce savoureux caramel croquant.

... des conserves

Si vous souhaitez offrir une denrée dont la période de conservation dépasse quelques jours, alors les délices mis en conserve semblent tout indiqués ! De beaux fruits et des légumes bien fermes additionnés de sucre ou de vinaigre, qui peuvent servir d'accompagnement à tellement de mets. Que vous choisissiez la recette de confiture de courgettes ou d'antipasto mariné, de chutney aux pommes ou de confiture de canneberges, vous ferez des heureux en partageant avec eux ce que la nature offre de mieux.

La pâtisserie

Conversion

Pour un premier essai de conversion, il est fortement suggéré de choisir une recette «éprouvée» car il vous sera plus facile d'identifier les ingrédients «problèmes» si vous en connaissez déjà le résultat. Si vous désirez convertir une recette que vous n'avez jamais expérimentée, assurez-vous que vous pourrez en apprécier le goût et le résultat; une recette traditionnelle qui ne vous enchante pas ne sera pas meilleure préparée au four à micro-ondes.

Plusieurs recettes traditionnelles peuvent être converties pour la cuisson aux micro-ondes sans que la liste des ingrédients ne soit modifiée. Par contre, comme les éléments liquides ralentissent la cuisson et que les matières grasses l'accélèrent, il faudra réduire la quantité de liquide et de matière grasse afin d'obtenir un juste équilibre entre les deux. Pour vous assurer d'une cuisson uniforme, faites pivoter le plat ou le récipient d'un demi-tour en cours de cuisson et respectez les indications fournies dans les recettes comparables à celles que vous désirez adapter. Rappelez-vous qu'il ne faut jamais mettre un récipient de métal ou à garnitures métalliques dans un four à micro-ondes. Par contre tous les ustensiles résistant à la chaleur, qu'ils soient en verre ou en plastique, peuvent être utilisés pour la cuisson aux micro-ondes. Si vous avez le choix de la forme du moule, privilégiez ceux de forme circulaire ou tubulaire car ils assurent une meilleure cuisson.

Cuire vos pâtisseries au four à micro-ondes ne veut pas dire reléguer toutes vos recettes traditionnelles aux oubliettes. Vous pouvez facilement les convertir et les adapter à ce nouveau mode de cuisson en respectant toutefois certaines règles sur la conversion des recettes, la mesure des ingrédients et leur substitution, car même en cuisine micro-ondes, la pâtisserie demeure un art où la précision est le garant du succès.

Mesure des ingrédients

Voici quelques règles concernant la mesure des ingrédients. Elles sont généralement connues mais il n'est pas inutile ici de les rappeler.

A. Utilisez une tasse à mesurer transparente munie d'un bec et d'un rebord pour mesurer les ingrédients liquides. Placez-la sur une surface plane et vérifiez à hauteur d'œil le niveau de liquide.

B. Graissez légèrement les parois de la tasse à mesurer avant d'y verser les liquides édulcorants (miel, mélasse, sirop). Cette méthode réduit l'adhérence des liquides au contenant et assure la précision de la mesure.

C. Le volume de nombreux ingrédients secs varie selon qu'ils sont mesurés tassés ou non. Il est conseillé de niveler avec un couteau ou une spatule les ingrédients comme la farine et la poudre à pâte, et de tasser les substances comme la cassonade avant d'en lire la quantité.

10

Substitution

Vous voulez faire des expériences culinaires en variant vos recettes? Il vous manque un ingrédient?

Vous pouvez toujours remplacer certaines substances par d'autres du même type en changeant toutefois les quantités. Voici une courte liste des substitutions possibles, que vous pourrez compléter au gré de vos goûts et de vos expériences.

Substitutions

Ingrédient	Quantité	Ingrédient de remplacement
Beurre ou margarine	250 ml (1 tasse)	250 ml (1 tasse) de graisse végétale plus 2 ml (1/2 c. à thé) de sel
Cassonade	250 ml (1 tasse)	175 ml (3/4 tasse) de sucre blanc granulé plus 50 ml (1/4 tasse) de mélasse
Farine à pâtisserie	250 ml (1 tasse)	220 ml (7/8 tasse) de farine tamisée tout usage plus 7 ml (1/2 c. à soupe) de poudre à pâte et 2 ml (1/2 c. à thé) de sel
Miel	250 ml (1 tasse)	250 ml (1 tasse) de sucre plus 50 ml (1/4 tasse) de liquide
Poudre à pâte	5 ml (1 c. à thé)	1 ml (1/4 c. à thé) de bicarbonate de soude plus 3 ml (3/4 c. à thé) de crème de tartre
Sucre glace	425 ml (1 3/4 tasse)	250 ml (1 tasse) de sucre granulé
Zeste de citron râpé	5 ml (1 c. à thé)	2 ml (1/2 c. à thé) d'extrait de citron
Farine blanche	500 ml (2 tasses)	410 ml (1 2/3 tasse) de farine de blé entier
Chocolat non sucré	30 g (1 oz)	30 ml (2 c. à soupe) de poudre de cacao et 30 ml (2 c. à soupe) de beurre

Les confiseries : le sucre et sa cuisson

Tous les dictionnaires s'entendent sur la définition du mot confiserie : friandises à base de sucre. Et nous sommes tous d'accord. Le sucre, avec le chocolat, sera toujours associé aux friandises. Mais d'où vient ce produit si répandu aujourd'hui mais presque impossible à trouver chez nous avant le siècle dernier.

Au VIe siècle avant notre ère, l'expédition de Darius Ier, roi de Perse, dans les vallées de l'Indus a fait connaître « le roseau qui donne du miel sans le concours des abeilles ». Les Perses demeureront les grands experts de la canne à sucre pendant douze siècles... jusqu'à l'invasion arabe au VIIe siècle. Les Arabes ont en effet implanté la culture de la canne à sucre dans les régions conquises : l'Égypte, Rhodes, Chypre, l'Afrique du Nord, la Syrie, l'Espagne du Sud et le Portugal. C'est au contact de ce peuple que les croisés apprirent les maintes utilisations de cette denrée et ils les diffusèrent à travers l'Europe. Les Portugais ont à leur tour introduit la culture de la canne dans leurs colonies d'Afrique, et aussi en Amérique entre le XVIe et le XVIIe siècle. Il faudra toutefois attendre le XIXe siècle pour que la commercialisation du sucre de canne ou de betterave soit bien établie.

C'est la transformation du sucre par la cuisson qui permet une si grande diversité en confiserie. Lorsqu'on fait bouillir du sucre, avec ou sans liquide, il se produit d'abord une évaporation, puis une réduction, et le sucre se concentre progressivement. Selon son degré de concentration ou de cuisson, le sucre prendra différentes consistances en refroidissant, soit du caramel mou au sucre croquant. Mentionnons que plus un sirop est pauvre en liquide, plus il durcira en refroidissant. Cependant, il est difficile d'évaluer à l'œil le degré de concentration atteint après un certain temps de cuisson. Voilà pourquoi il est conseillé de se munir d'un thermomètre à bonbons lorsqu'on prépare des confiseries ; une lecture précise sur le thermomètre alliée à une méthode empirique de vérification du stade de cuisson vous assurera le succès. Vous trouverez dans le tableau suivant une description des douze stades de cuisson du sucre comprenant la température correspondante et la méthode appropriée à chacun, ainsi que le résultat.

Stades de cuisson du sucre

Stade de cuisson	Température	Méthode de vérification empirique	Résultat
Nappe	100°C (212°F)	Tremper une écumoire dans le sirop et la secouer légèrement.	Le sirop obstrue les trous de l'écumoire.
Petit lissé	102°C (215°F)	Tremper le pouce et l'index d'une main dans l'eau froide, laisser tomber une goutte de sirop entre les doigts et les séparer d'un coup sec.	Le sirop forme un mince filet et se rompt rapidement.
Grand lissé	103°C (217°F)	Même méthode qu'au stade *petit lissé*.	Le sirop s'étend en un long filet avant de se rompre.
Perlé	105°C (221°F)	Tremper une écumoire dans le sirop et la retirer.	Le sirop qui s'écoule de l'écumoire forme des petites boules rondes et serrées, semblables à des perles.
Filet	entre 106° et 113°C (223° et 235°F)	Même méthode qu'au stade *perlé*.	Le sirop forme un mince filet.
Petit boulé	entre 112° et 116°C (234° et 241°F)	À l'aide d'une cuillère, laisser tomber un peu de sirop dans de l'eau glacée et retirer la boule qui s'est formée.	La boule garde sa forme dans l'eau mais s'aplatit lorsqu'on la presse entre les doigts ; sa texture est très collante.
Moyen boulé	entre 118° et 121°C (244° et 250°F)	Même méthode qu'au stade *petit boulé*.	La boule est ferme mais malléable ; sa texture est collante.
Grand boulé	entre 121° et 130°C (250° et 266°F)	Même méthode qu'au stade *petit boulé*.	La boule garde sa forme et résiste à une légère pression des doigts ; sa texture est collante.
Petit cassé	entre 132° et 143°C (270° et 289°F)	Même méthode qu'au stade *petit boulé*.	La boule s'étire et forme des fils fermes et élastiques qui ne collent presque plus.
Grand cassé	entre 149° et 154°C (300° et 309°F)	Même méthode qu'au stade *petit boulé*.	En l'étirant, la boule durcit et casse sec ; le sirop prend une coloration jaune pâle.
Caramel clair	entre 160° et 170°C (320° et 338°F)	Verser un peu de sirop dans une assiette blanche.	Le sirop a la couleur du miel.
Caramel foncé	entre 165° et 177°C (329° et 351°F)	Même méthode qu'au stade *caramel clair*.	Le sirop est de couleur ambrée ; au-delà de ce stade, le sirop devient amer.

Les conserves

Les enzymes et les micro-organismes sont les deux principales causes de la détérioration des aliments. Arrêter ou ralentir leur action équivaut en quelque sorte à profiter de la saveur des légumes et des fruits frais longtemps encore après le temps des récoltes.

Les enzymes sont des protéines que l'on trouve dans tous les organismes vivants, animaux comme végétaux. Ils jouent un important rôle de catalyseur dans les diverses réactions chimiques se produisant dans les tissus. Toutefois, leur action continue même après que les fruits et les légumes aient été cueillis, affectant leur saveur, leur couleur et leur texture.

Quant aux micro-organismes (bactéries, moisissures ou levures), ils sont présents en permanence dans la terre, l'air et l'eau, et par conséquent dans tous les aliments frais.
Les bactéries sont la cause d'un grand nombre d'intoxications alimentaires dont la gravité varie selon le type de la bactérie et les toxines sécrétées. La seule façon d'éliminer la contamination par les bactéries est de suivre scrupuleusement les règles d'hygiène et de respecter les techniques de conservation et leurs particularités.

Outre les marbrures du roquefort qui sont de la moisissure et le vin issu du moût du raisin transformé par l'action des levures, les micro-organismes donnent, dans la majorité des autres cas, un goût désagréable aux aliments et les substances chimiques qu'ils sécrètent sont parfois toxiques. La prudence est donc de rigueur.

Le froid comme la chaleur éliminent l'activité bactérienne et enzymique. Bien que la congélation soit un mode de conservation très courant, la chaleur s'avère plus efficace pour contrer l'action des agents de détérioration des aliments. Les hautes températures détruisent les bactéries et leurs toxines, dénaturent les enzymes et stoppent leur action catalysatrice. Mais le fait de stériliser les aliments ne suffit pas à empêcher la prolifération organique, car il y a toujours contact avec l'air et donc avec les micro-organismes qui y sont présents. C'est pourquoi il faut aussi conserver les aliments dans des récipients fermés hermétiquement ; dans ce cas-ci, c'est l'action de la chaleur qui crée le vide d'air et assure une fermeture hermétique.

Le sucre, le vinaigre ou l'alcool empêchent déjà la prolifération des micro-organismes, mais la mise en pot des conserves demeure une étape importante du processus de conservation. Les deux méthodes les plus employées sont la fermeture avec du papier sulfurisé et la fermeture à la paraffine.

La première convient très bien aux gelées, confitures, marmelades et pâtes de fruit dont la teneur en sucre est suffisante pour empêcher toute prolifération bactérienne. Assurez-vous d'abord que les pots soient d'une propreté impeccable. Versez-y la préparation chaude et recouvrez-la d'une rondelle de papier sulfurisé, de même dimension que le goulot. Passez un doigt sur la surface du papier pour éliminer les bulles d'air, puis couvrez immédiatement les pots de leur couvercle ou de pellicule plastique, ou attendez que la préparation soit complètement refroidie. Procéder à cette opération à un moment quelconque entre le chaud et le froid emprisonnerait l'humidité à l'intérieur du pot qui deviendrait alors un milieu propice à la prolifération des micro-organismes.

La fermeture par un disque de paraffine est idéale pour les chutneys et les condiments car elle empêche l'évaporation. Déposez une

Agents de conservation pour divers fruits et légumes

Aliment	Sel	Sucre	Vinaigre	Alcool
Fruits				
Abricot		x	x	x
Ananas		x		
Bleuet		x		
Brugnon		x	x	x
Cerise		x	x	x
Citron	x	x		
Figue		x		
Fraise		x		
Framboise		x		
Groseille		x		
Lime	x	x		
Mandarine		x		
Melon		x	x	
Orange		x		x
Pamplemousse		x		
Pêche		x	x	x
Poire		x	x	x
Pomme		x		
Prune		x	x	x
Raisin		x		
Rhubarbe		x		
Légumes				
Aubergine			x	
Betterave		x	x	
Brocoli			x	
Carotte			x	
Céleri			x	
Chou			x	
Chou-fleur			x	x
Concombre			x	
Courgette		x	x	
Maïs			x	
Oignon			x	
Poivron			x	
Tomate			x	

rondelle de papier sulfurisé sur la préparation, éliminez les bulles d'air et coulez la paraffine fondue par-dessus, jusqu'à ras bords. Laissez durcir la paraffine puis fermez le pot. Enfin, rangez toujours vos conserves dans un endroit frais, sec et aéré ou au réfrigérateur selon le cas ; vos délices s'y garderont mieux que dans l'armoire à confitures traditionnelle.

Quant aux agents de conservation, nous vous suggérons de consulter le tableau ci-dessus, lequel donne un aperçu des principales substances employées avec divers fruits et légumes.

Les pâtisseries cadeaux

De jolies boîtes tapissées de papier coloré et remplies de petits gâteaux ou de biscuits maison appétissants, qu'on offre par amitié, par affection, simplement... Tant de sourires partagés, de poignées de mains échangées... et de petits gâteaux savourés. Des délices qu'on offre aux adultes en pensant inévitablement aux enfants! Voilà une idée intéressante.

Bien sûr, les étalages des épiceries nous en mettent plein la vue avec leurs boîtes toutes plus belles les unes que les autres et de provenances diverses: biscuits au beurre, gaufrettes, sablés, de Hollande, d'Angleterre, etc. Mais rien ne saurait remplacer ceux qu'on a soi-même confectionnés, avec amour, et la fierté ressentie au moment de les offrir.

N'allez surtout pas croire que ce plaisir prendra tout votre temps en préparation. Que vous choisissiez de fabriquer des biscuits deux tons tout de cercles concentriques, ou des biscuits à l'eau de rose, à la saveur si délicate, des vaisseaux spatiaux, qui amuseront les enfants, ou des petits dômes au chocolat, qui feront faiblir les inconditionnels, tous se préparent en un tournemain.

Il ne vous restera plus qu'à choisir l'occasion: un anniversaire, une invitation à dîner, une visite à des parents ou amis, ou tout simplement pour le seul sourire de ceux que vous aimez.

Biscuits deux tons

En plus de leurs deux couleurs contrastantes, les multiples formes qu'on peut donner à ces biscuits ajoutent au plaisir; ils attirent d'abord l'œil, le séduisent, puis vient la question : « Mais comment as-tu fait ? » Bien vite les interrogations cessent pour faire place à la dégustation : « Comme ils sont délicieux ! » Et déjà la main se dirige de nouveau vers l'assiette décorée de dentelle de papier... pour reprendre un autre biscuit. Les enfants auront sûrement une explication fort intéressante de la façon de préparer ces biscuits. Laissez-les vous surprendre, mais surtout, gardez votre secret. Si le jeu est trop simple, épatez-les la prochaine fois avec des biscuits en forme de damier : ils en resteront bouche bée !

Biscuits deux tons

Complexité	🍴🍴
Temps de préparation	20 min
Coût par portion	$ $
Quantité	24
Temps de cuisson	4 périodes de 1 min 30 s
Temps de repos	aucun
Intensité	50 %, 90 %
Inscrivez ici votre temps de cuisson	

Ingrédients

125 ml (1/2 tasse) de beurre
125 ml (1/2 tasse) de sucre
1 jaune d'œuf
375 ml (1 1/2 tasse) de farine
7 ml (1 1/2 c. à thé) de poudre à pâte

2 ml (1/2 c. à thé) de sel
60 ml (4 c. à soupe) de lait
7 ml (1 1/2 c. à thé) d'essence de vanille
30 g (1 oz)) de chocolat non sucré

Préparation

— Battre le beurre et le sucre en crème, ajouter le jaune d'œuf et continuer de battre jusqu'à consistance crémeuse.
— Tamiser la farine, la poudre à pâte et le sel.
— Dans un autre bol, mélanger le lait et la vanille.
— Incorporer les ingrédients secs et le lait en alternance au mélange de beurre. Commencer et terminer par les ingrédients secs.
— Diviser la pâte en deux parts égales.
— Fondre le chocolat 30 secondes à 50 % et l'incorporer à une moitié de pâte ; bien mélanger.
— Presser les deux morceaux de pâte l'un sur l'autre sans mélanger.
— Façonner la pâte en forme de bûche et la trancher en 24 portions.
— Disposer 6 biscuits en cercle sur une assiette préalablement graissée.
— Surélever l'assiette et cuire 1 1/2 minute à 90 % ; faire pivoter l'assiette d'un demi-tour à la mi-cuisson.
— Faire cuire les autres biscuits, 6 à la fois, de la même façon.

Battre le beurre et le sucre en crème, ajouter le jaune d'œuf et continuer de battre pour bien mélanger.

Tamiser la farine, le sel et la poudre à pâte.

Après avoir incorporé les ingrédients secs et liquides au mélange de beurre, diviser la pâte en deux parts égales.

Fondre le chocolat 30 secondes à 50 % puis l'incorporer à une moitié de pâte.

Après avoir pressé les deux moitiés de pâte l'une sur l'autre, former un rouleau et le trancher en 24 portions.

Cuire 6 biscuits à la fois dans une assiette graissée, 1 1/2 minute à 90 %.

TRUCS

Pour éviter la surcuisson des biscuits
La plupart des biscuits sont faits à partir d'une pâte très riche. Aussi ont-ils tendance à cuire vite et trop si on n'y prend garde. Il est conseillé de les sortir du four dès que la pâte commence à prendre, autrement le centre des biscuits sera dur et sec. Par ailleurs, les pâtes à **biscuits préparées et réfrigérées** que l'on trouve sur le marché ne donnent pas toujours de bons résultats au four à micro-ondes : elles sont trop riches et cuisent mal. Il est préférable de préparer la pâte à biscuits conformément aux recettes.

Biscuits à l'eau de rose

Nous vous proposons une recette de biscuits qui attirent d'abord l'odorat pour mieux séduire ensuite le palais. Le parfum subtil de rose et de sucre qui se dégage de ces biscuits invite au calme et à la douceur... et c'est alors que l'on prend la première bouchée : une saveur rivalisant en subtilité avec le parfum... La rose et le sucre... On ne dévore pas ces biscuits, on les déguste... on se laisse séduire... et on en reprend.

Biscuits à l'eau de rose

Complexité	🍴🍴
Temps de préparation	20 min*
Coût par portion	$
Quantité	64
Temps de cuisson	10 périodes de 1 min 30 s
Temps de repos	aucun
Intensité	90 %
Inscrivez ici votre temps de cuisson	

* La pâte doit reposer 1 heure au réfrigérateur avant la cuisson.

Ingrédients

250 ml (1 tasse) de beurre
3 œufs
1 125 ml (4 1/2 tasses) de farine tout usage
375 ml (1 1/2 tasse) de sucre
45 ml (3 c. à soupe) poudre à pâte

7 ml (1/2 c. à soupe) de bicarbonate de soude
5 ml (1 c. à thé) de sel
250 ml (1 tasse) de crème sure
15 ml (1 c. à soupe) d'eau de rose
sucre coloré

Préparation

— Battre le beurre en crème ; ajouter les œufs un à un en battant après chaque addition.
— Dans un autre bol, mélanger tous les ingrédients secs puis les ajouter au mélange de beurre en alternant avec la crème. Commencer et terminer par les ingrédients secs.
— Ajouter l'eau de rose et bien mélanger.
— Abaisser la pâte et former un rouleau de 7 cm (3 po) de diamètre.
— Envelopper le rouleau dans un morceau de pellicule plastique et le laisser reposer 1 heure au réfrigérateur.
— Découper le rouleau en fines rondelles puis saupoudrer chacune de sucre coloré.
— Disposer 6 ou 7 biscuits en cercle sur une assiette non graissée.
— Surélever l'assiette et cuire 1 1/2 minute à 90 %. Faire pivoter l'assiette d'un demi-tour à la mi-cuisson.
— Recommencer le processus de cuisson jusqu'à ce que tous les biscuits soient cuits.

Rassembler tout d'abord les ingrédients nécessaires à la préparation de ces biscuits savoureux.

Après avoir battu le beurre en crème, ajouter les œufs un à un en battant après chaque addition.

Incorporer les ingrédients secs en alternance avec la crème au mélange de beurre en commençant et en terminant par les ingrédients secs.

Abaisser la pâte et former un rouleau de 7 cm (3 po) de diamètre que vous trancherez en fines rondelles.

Disposer les biscuits en cercle sur une assiette non graissée.

Cuire 1 1/2 minute à 90 % en faisant pivoter l'assiette d'un demi-tour à la mi-cuisson.

Vaisseaux spatiaux au chocolat

Offrez des petits gâteaux à la forme bien spéciale : des vaisseaux spatiaux au chocolat. Les enfants en raffoleront ! Servis lors d'un anniversaire, ces gâteaux feront la joie de tous : une pâte au chocolat, glacée au chocolat et décorée de petits bonbons et de sucre glace. Ces gâteaux s'envoleront littéralement de leur boîte tapissée de papier métallique. Une nouvelle histoire accompagnera chaque envolée. Tous les petits cosmonautes seront en verve ; ils n'auront de cesse que lorsqu'ils auront raconté ce qu'ils ont vu à la limite des autres galaxies au fond de leur imagination... Ils ne s'arrêteront que pour croquer une autre bouchée...

Vaisseaux spatiaux au chocolat

Complexité	🍴🍴
Temps de préparation	30 min
Coût par portion	$ $
Quantité	12
Temps de cuisson	7 min
Temps de repos	30 min
Intensité	50 %, 70 %
Inscrivez ici votre temps de cuisson	

Ingrédients

Gâteau
2 carrés de chocolat non sucré
75 ml (1/3 tasse) d'huile
175 ml (3/4 tasse) d'eau
250 ml (1 tasse) de sucre
1 œuf
5 ml (1 c. à thé) d'essence de vanille
300 ml (1 1/4 tasse) de farine
2 ml (1/2 c. à thé) de sel
5 ml (1 c. à thé) de bicarbonate de soude

Glace
2 carrés de chocolat non sucré
50 ml (1/4 tasse) de beurre
325 ml (1 1/3 tasse) de sucre glace
1 œuf
5 ml (1 c. à thé) d'essence de vanille

Décoration
sucre glace au goût
bonbons

Préparation

Gâteau
— Fondre le chocolat 1 minute à 50 % et laisser refroidir.
— Incorporer l'huile, l'eau, le sucre, l'œuf et la vanille au chocolat refroidi.
— Tamiser la farine, le sel et le bicarbonate de soude puis incorporer graduellement les ingrédients secs au mélange de chocolat et battre jusqu'à consistance crémeuse.
— Foncer deux moules à muffin de moules en papier n° 75 et les remplir de pâte.

— Surélever le moule et cuire de 2 à 2 1/2 minutes à 70 % en faisant pivoter le moule d'un demi-tour à la mi-cuisson.
— Répéter l'opération de cuisson pour les 6 portions restantes.
— Laisser refroidir complètement les petits gâteaux avant de les glacer.

Glace
— Fondre le chocolat 1 minute à 50 % et ajouter le beurre, le sucre glace, l'œuf et la vanille en battant jusqu'à consistance crémeuse.
— Réfrigérer la glace 30 minutes.

Décoration
— Découper une tranche sur le dessus des gâteaux et réserver.
— Saupoudrer les gâteaux de sucre glace.
— Couper chaque tranche réservée en deux et disposer les morceaux sur chaque gâteau, côté pointu à l'envers vers l'extérieur.
— Garnir le gâteau de glace puis décorer de petits bonbons.

Ajouter les ingrédients secs au mélange de chocolat et battre jusqu'à consistance crémeuse.

Surélever le moule à muffin et cuire 6 gâteaux à la fois, de 2 à 2 1/2 minutes à 70%.

Faire pivoter le moule d'un demi-tour à la mi-cuisson.

Battre ensemble les ingrédients de la glace en ajoutant le beurre, le sucre glace, l'œuf et la vanille au chocolat fondu.

Pour façonner des vaisseaux, couper d'abord le dessus des petits gâteaux.

Terminer en saupoudrant les gâteaux de sucre glace et en les garnissant de petits bonbons.

Pour ramollir la cassonade durcie

Avec le four à micro-ondes, fini les blocs de cassonade durcie impossibles à sectionner ! Il suffit de disposer un bloc de cassonade dans un sac de polythène épais et d'y ajouter un peu d'eau ou un quartier de pomme. Attacher le sac sans trop serrer l'ouverture. Chauffer 20 secondes à 100% et vérifier si la cassonade est ramollie. Répéter l'opération 1 ou 2 fois si cela est nécessaire en évitant que la cassonade ne commence à fondre. Quand elle est suffisamment ramollie, la retirer du four et la laisser reposer 5 minutes. Pour des blocs de petit format (moins de 230 g/8 oz) procéder de la même manière mais en vérifiant le résultat toutes les 15 secondes.

Petits dômes
au chocolat

Des petits gâteaux au
chocolat savoureux garnis
d'une onctueuse sauce au
chocolat et glacés au
chocolat. Les Aztèques
qui, il y a trois mille ans,
utilisaient les fèves de
cacao comme pièce de
monnaie envieraient une
telle richesse. En fait,
tous les passionnés de
chocolat convoiteraient
de la même façon ces
délicieuses pâtisseries.
Décorez-les, au gré de
votre fantaisie, ou encore
servez-les avec les
vaisseaux spatiaux au
chocolat, ce qui fera une
table des plus amusantes.

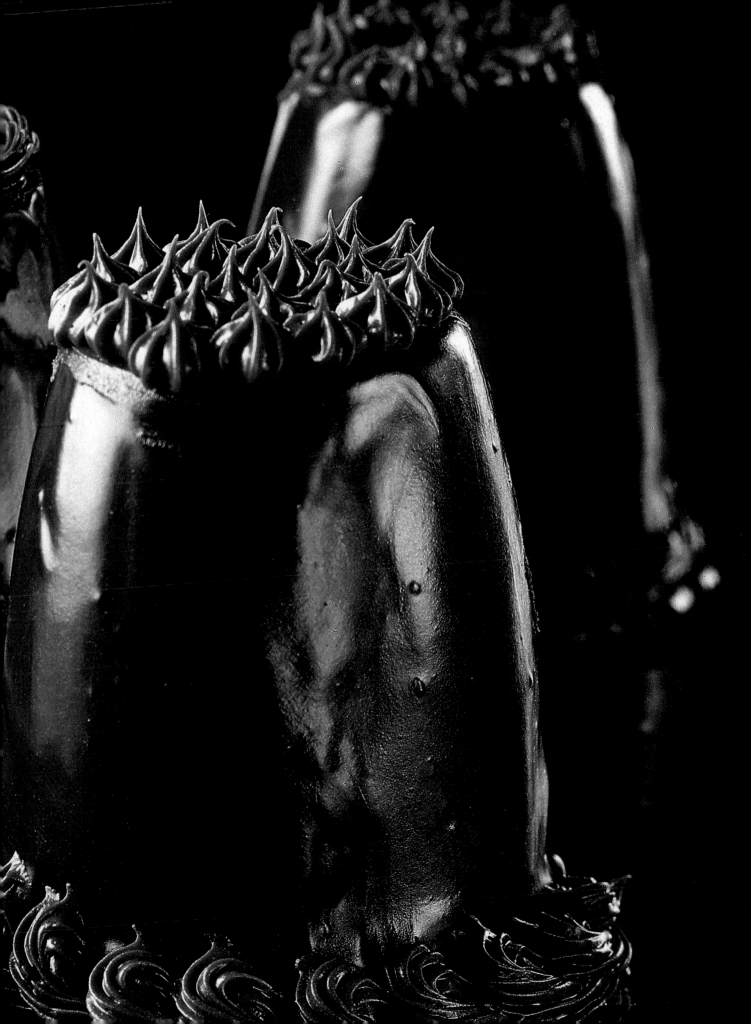

Petits dômes au chocolat

Complexité	🍴🍴
Temps de préparation	15 min
Coût par portion	$ $
Quantité	6
Temps de cuisson	5 min 30 s
Temps de repos	aucun
Intensité	100 %, 70 %, 30 %
Inscrivez ici votre temps de cuisson	

Ingrédients

Gâteau
1 œuf bien battu
10 ml (2 c. à thé) de graisse
250 ml (1 tasse) de sucre
250 ml (1 tasse) de farine
5 ml (1 c. à thé) de poudre à pâte
1 pincée de sel
175 ml (3/4 tasse) de lait

Sauce au chocolat
125 ml (1/2 tasse) de beurre
50 ml (1/4 tasse) de poudre de cacao
50 ml (1/4 tasse) de sucre
2 œufs

Glace au chocolat
2 carrés de chocolat
325 ml (1 1/3 tasse) de sucre glace
30 ml (2 c. à soupe) de beurre

Préparation

— Préparer d'abord le gâteau en battant l'œuf et en y ajoutant la graisse; bien mélanger.
— Incorporer le sucre au mélange en battant bien.
— Tamiser la farine, la poudre à pâte et le sel.
— Incorporer les ingrédients secs au premier mélange en alternant avec le lait. Commencer et terminer par les ingrédients secs.
— Répartir la pâte dans six petits moules en verre en les remplissant à moitié. Réserver.
— Préparer ensuite la sauce en faisant fondre le beurre 1 minute à 100 %.
— Ajouter le cacao, le sucre et les œufs; bien mélanger.
— Verser la sauce au chocolat sur la pâte, dans les moules.
— Cuire surélevé 1 minute à 100 %. Faire pivoter les moules d'un demi-tour puis poursuivre la cuisson 2 minutes à 70 %.
— Laisser refroidir les petits gâteaux complètement avant de les démouler.
— Pendant ce temps, préparer la glace en faisant fondre le beurre et le chocolat de 1 à 1 1/2 minute à 30 %.
— Incorporer le sucre glace en battant jusqu'à consistance ferme et crémeuse.
— Garnir les dômes au chocolat de glace et décorer au goût.

Rassembler les ingrédients nécessaires à la préparation de ces petits dômes au chocolat.

Bien mélanger la pâte.

Préparer la sauce en ajoutant au beurre fondu, le cacao, le sucre, et les œufs.

Verser la sauce sur la pâte.

Démouler et garnir les petits gâteaux de glace.

Décorer au goût.

TRUCS

Pour décorer les confiseries

Il n'est pas nécessaire de se procurer une panoplie d'ustensiles pour pouvoir décorer des confiseries. Une simple fourchette peut servir à faire des lignes parallèles. Un anneau permettra de faire de jolies cannelures sur les bonbons ronds, et les doigts trempés dans le chocolat fondu font des merveilles sur des fourrés de formes irrégulières. La poche à douilles peut elle aussi être fort utile : par exemple, la remplir de chocolat plus pâle ou plus foncé que celui qui a servi à enrober les friandises, les motifs seront ainsi créés par contraste.

Les confiseries cadeaux

Recevoir des chocolats ou des bonbons fait tellement plaisir! Ces boîtes enrubannées remplies de douces friandises réchauffent le cœur, et chaque bouchée est unique. Les confiseries maison sont sans doute les plus précieuses de toutes en raison du soin apporté à leur confection. Ces confiseries deviennent une marque d'amitié, et même l'impression du nom du confiseur le plus réputé sur une boîte de chocolats achetés à la hâte ne pourrait rien y changer.

Les confiseries sont, par définition, des sucreries. Aujourd'hui on les prépare surtout avec du sucre cristallisé blanc aussi appelé *saccharose*. Cependant, d'autres édulcorants peuvent aussi être utilisés. Par exemple le miel, qui a toujours été un ingrédient très recherché, est utilisé couramment pour la préparation des confiseries et pâtisseries orientales; en Occident, il sert surtout à parfumer les confiseries et à adoucir les nougats et les caramels. Le miel est de plus une substance anti-cristallisante pouvant entrer dans la fabrication de friandises transparentes. Le sirop et le sucre d'érable ainsi que les substances sucrées dérivées du maïs sont aussi des ingrédients fort appréciés des confiseurs. Et comment parler de confiseries sans mentionner l'importance du chocolat. Pour plusieurs, il représente le délice suprême, pour d'autres il est devenu une passion. Son parfum unique, sa texture onctueuse et sa saveur riche font qu'on en demande et en redemande. En truffes, en gaufrettes ou transformé en enrobage, le chocolat séduit. Il opère sa magie.

Roses de sable

C'est au XVe siècle, lors de leurs expéditions dans les pays arabes, que les Occidentaux ont découvert le sucre raffiné et les confitures. Des Indes, les bateaux des marchands portugais rapportaient des cargaisons d'oranges. Fruit précieux, sa consommation a longtemps été réservée aux jours de fête; mais comme on ne pouvait conserver l'orange très longtemps, la confire était la meilleure façon de prolonger le plaisir.

Aujourd'hui, nous gorgeons nos oranges de sucre simplement par goût. Nous en faisons des friandises hors du commun, comme les roses de sable: des oranges confites, du chocolat, de la vanille, du sucre et des amandes... Un délice digne des mille et une nuits!

Roses de sable

Complexité	🍴🍴
Temps de préparation	20 min
Coût par portion	$ $
Quantité	12
Temps de cuisson	21 min 30 s
Temps de repos	aucun
Intensité	100 %, 70 %, 90 %, 50 %
Inscrivez ici votre temps de cuisson	

Ingrédients

50 ml (1/4 tasse) de beurre
250 ml (1 tasse) de sucre
7 ml (1/2 c. à soupe) d'essence de vanille
250 ml (1 tasse) de crème à 35 %

300 ml (1 1/4 tasse) d'amandes effilées
175 ml (3/4 tasse) d'oranges confites coupées en dés
2 à 3 carrés de chocolat noir sucré

Préparation

— Dans un bol allant au four à micro-ondes, mélanger le beurre, le sucre et la vanille.
— Cuire le mélange à 100 % 5 minutes ou jusqu'à ce qu'il brunisse légèrement ; remuer plusieurs fois pour que le mélange soit de couleur uniforme.
— Incorporer la crème, puis cuire à 70 % 3 minutes ou jusqu'à ce que le sucre soit fondu. Remuer toutes les minutes pendant la cuisson.
— Ajouter les amandes et les oranges ; bien mélanger.
— Cuire à 70 % 10 minutes ou jusqu'à ce que le mélange prenne une consistance pâteuse. Interrompre la cuisson 2 ou 3 fois pour remuer.
— Diviser la pâte en 12 portions puis les répartir dans deux moules à muffin allant au four à micro-ondes ; cuire le contenu d'un moule à la fois, surélevé, de 1 à 1 1/2 minute à 90 %.
— Laisser refroidir complètement les roses de sable avant de les démouler. Réserver.
— Fondre le chocolat de 1 à 2 minutes à 50 %.
— Napper les roses de sable de chocolat fondu.

Mélanger le beurre, le sucre et la vanille dans un bol.

Remuer plusieurs fois la préparation pendant la cuisson.

Incorporer la crème et poursuivre la cuisson en remuant toutes les minutes.

Ajouter les amandes et les oranges.

Répartir la pâte dans deux moules à muffin.

Napper les roses de sable de chocolat fondu.

TRUCS

Pour éviter la surcuisson des aliments

En cuisine micro-ondes on alloue presque toujours un certain temps de repos après la cuisson, au cours duquel la chaleur continue de se répandre dans les aliments et achève leur cuisson. Ce temps de repos varie selon la consistance des aliments. Il faut toujours garder en tête que le temps de repos indiqué en dernière étape de préparation d'une recette est aussi important que le temps de cuisson demandé.

Fudge aux noix

Le fudge est une sucrerie fondante surtout répandue ici, en Amérique. Sa recette est dérivée du fondant traditionnel européen que nous enrichissons de lait concentré ou de crème. Comme son illustre prédécesseur, le fudge est préparé à base de sucre cuit au petit boulé (voir tableau p. 13). Il peut être parfumé au café, au chocolat, à la vanille ou au miel, et on peut en modifier la texture en ajoutant des noix ou des amandes entières, hachées ou en poudre selon sa fantaisie. Si vous préférez le fudge ferme et un peu granuleux, il faut battre le sirop alors qu'il est chaud ; si vous le préférez mou et onctueux, attendez que le sirop devienne tiède avant de le battre, sa cristallisation sera alors fine et régulière.

Fudge aux noix

Complexité	🍴🍴
Temps de préparation	10 min
Coût par portion	$ $
Quantité	24 carrés
Temps de cuisson	12 min
Temps de repos	2 h
Intensité	100 %
Inscrivez ici votre temps de cuisson	

Ingrédients

300 ml (1 1/4 tasse) de sucre fin
2 ml (1/2 c. à thé) de poudre à pâte
175 ml (3/4 tasse) de lait concentré
120 ml (6 c. à soupe) de beurre
5 ml (1 c. à thé) d'essence de vanille

230 g (8 oz) de grains de chocolat au lait
60 g (2 oz) de noix de Grenoble hachées grossièrement
60 g (2 oz) de pacanes hachées grossièrement
60 g (2 oz) d'amandes hachées grossièrement

Préparation

— Dans un bol allant au four à micro-ondes, mélanger le sucre, la poudre à pâte, le lait et le beurre. Cuire de 11 à 12 minutes à 100 % ; remuer toutes les 2 minutes.
— Vérifier la cuisson en jetant un peu de la préparation dans un verre d'eau froide ; elle doit former une boule molle.
— Ajouter l'essence de vanille à la préparation et mélanger au batteur 2 minutes à haute vitesse.
— Ajouter les grains de chocolat et battre jusqu'à ce qu'ils soient fondus.
— Ajouter les noix, les pacanes et les amandes, puis mélanger.
— Verser la préparation dans un moule graissé et la garder au réfrigérateur au moins 2 heures.
— Couper le fudge en petits carrés avant de servir.

Dans un bol allant au four à micro-ondes, mélanger le sucre, la poudre à pâte, le lait et le beurre; cuire de 11 à 12 minutes à 100%.

Remuer toutes les 2 minutes en cours de cuisson.

Vérifier la cuisson en plongeant un peu de la préparation dans de l'eau froide; elle doit alors former une boule molle.

Ajouter l'essence de vanille et mélanger au batteur 2 minutes à haute vitesse.

Ajouter les grains de chocolat et continuer de battre jusqu'à ce qu'ils soient fondus.

Incorporer les noix, les pacanes et les amandes à la préparation avant de la verser dans un moule graissé.

Gaufrettes à l'orange

Du chocolat garni d'un mélange de sucre glace, de lait et d'extrait d'orange, recouvrant une croûte faite de biscuits Graham, voilà ce qui compose les gaufrettes à l'orange. Vous verrez les visages de vos invités s'illuminer de sourires radieux à la vue de ces friandises. Et lorsqu'ils y auront goûté, seul un silence rempli de satisfaction et de contentement envahira la pièce... puis fuseront les exclamations : «Oh! merveilleux!» Et tous en reprendront à coup sûr. Une chose seulement : assurez-vous de bien remplir la boîte, car à la vitesse à laquelle on dévorera vos gaufrettes à l'orange, le fond de la boîte ne tardera pas à apparaître!

Gaufrettes à l'orange

Complexité	🍴
Temps de préparation	15 min
Coût par portion	$ $
Quantité	12 carrés
Temps de cuisson	2 min 30 s
Temps de repos	1 h
Intensité	50 %, 100 %

Inscrivez ici votre temps de cuisson	

Ingrédients

12 biscuits Graham
175 g (6 oz) de grains de chocolat
45 ml (3 c. à soupe) de beurre
250 ml (1 tasse) de sucre glace

2 ml (1/2 c. à thé) d'extrait d'orange
4 gouttes de colorant alimentaire orange
30 ml (2 c. à soupe) de lait

Préparation

— Enduire le fond d'un moule carré de 20 cm (8 po) de côté de substance anti-adhésive et tapisser de biscuits Graham. Réserver.
— Fondre le chocolat et 15 ml (1 c. à soupe) de beurre 2 minutes à 50 % ; remuer 1 fois en cours de cuisson.
— Verser le chocolat sur les biscuits.
— Lisser la surface du chocolat et réfrigérer 1 heure.
— Fondre le beurre restant 30 secondes à 100 %, puis y incorporer le sucre glace, l'extrait d'orange et le colorant alimentaire.
— Ajouter juste assez de lait pour que le mélange devienne lisse et homogène.
— Verser le mélange sur le chocolat froid et en lisser la surface.
— Conserver au réfrigérateur.

TRUCS

Comment adapter une recette de gâteau traditionnelle pour la cuisson aux micro-ondes

Les ingrédients

1. Ne jamais réduire la quantité d'œuf comme on le fait avec l'huile dans l'eau.

2. On peut toujours réduire la quantité de sucre sans déséquilibrer la chimie des ingrédients. Cependant, cette réduction n'est aucunement imposée par ce type de cuisson. C'est plutôt une question de goût ou de diète.

3. Ne pas oublier que la farine de blé entier est plus lourde que la farine blanche ; 375 ml (1 1/2 tasse) de farine de blé entier équivaut à 500 ml (2 tasses) de farine blanche.

4. Les recettes de gâteaux pour four à micro-ondes exigent

Rassembler d'abord tous les ingrédients nécessaires à la préparation de ces délicieuses gaufrettes à l'orange.

Verser le chocolat fondu dans un moule carré tapissé de biscuits Graham.

Lisser la surface du mélange avant de le réfrigérer 1 heure.

Incorporer le sucre glace, l'extrait d'orange, le colorant alimentaire et le lait au beurre fondu.

Verser le mélange sur le chocolat refroidi.

Lisser la surface du mélange à l'orange et conserver le tout au réfrigérateur. Couper en carrés avant de servir.

ordinairement plus de poudre à pâte. Cependant, faire un premier essai en utilisant la même quantité de cet ingrédient. Si les résultats ne sont pas satisfaisants, réduire la quantité de liquide. N'augmenter la quantité de poudre à pâte qu'en dernier recours.

La technique

1. Comme le temps de cuisson au four à micro-ondes est plus court, la pâte a moins de temps pour lever. Par conséquent, laisser reposer la préparation de 5 à 10 minutes juste avant de commencer la cuisson pour que la levure ait le temps d'agir.

2. Ne jamais fariner un moule qui ira au four à micro-ondes. Utiliser plutôt des craquelins, des biscuits Graham émiettés ou de la chapelure, ou mieux, vaporiser l'intérieur du moule d'une substance anti-adhésive.

Truffes au chocolat blanc

Les truffes sont un mélange de chocolat au beurre et de crème bien fouetté, dont la consistance mousseuse fait rêver plus d'un gourmand. Façonnées en petites boules de la grosseur d'une noix, les truffes sont ainsi nommées parce qu'elles rappellent le champignon du même nom ; leur caractère précieux et recherché complète la similitude. Pour que vos truffes soient bien rondes, réfrigérez un peu la pâte avant de la façonner ; enrobez ensuite chaque boule de poudre de cacao, de sucre glace ou d'amandes hachées. Présentez les truffes dans une boîte tapissée de papier coloré et décorez-en les bords et le fond de dentelle de papier, l'effet sera fantastique. Mais n'attendez pas trop avant de les offrir car elles ne sont vraiment fraîches que pendant 48 heures.

Truffes au chocolat blanc

Complexité	🍴
Temps de préparation	10 min
Coût par portion	$ $
Quantité	24
Temps de cuisson	3 min
Temps de repos	20 min
Intensité	50 %
Inscrivez ici votre temps de cuisson	

Ingrédients

115 g (4 oz) de chocolat blanc
50 ml (1/4 tasse) de crème à 35 %
1 jaune d'œuf

15 ml (1 c. à soupe) de beurre
10 ml (2 c. à thé) de rhum blanc
375 ml (1 1/2 tasse) de sucre glace
amandes hachées finement

Préparation

— Fondre le chocolat de 2 à 3 minutes à 50 %; remuer à la mi-cuisson.
— Fouetter la crème puis l'incorporer au chocolat fondu.
— Ajouter le jaune d'œuf et le beurre; bien mélanger.
— Incorporer le rhum.
— Tamiser le sucre glace puis l'incorporer à la préparation en battant pour la rendre homogène.
— Réfrigérer la préparation 20 minutes ou jusqu'à ce qu'elle devienne très ferme.
— Diviser la préparation en 24 portions. Façonner chacune en petite boule, puis les enrober d'amandes.
— Conserver les truffes au réfrigérateur (au plus 2 jours).

Truffes aux noix   (variante)

Ingrédients

90 g (3 oz) de beurre
200 g(7 oz) de chocolat noir
90 g (3 oz) de sucre glace
5 ml (1 c. à thé) d'essence de vanille
90 g (3 oz) de noix hachées

Préparation

— Fondre le beurre et le chocolat 2 minutes à 50 %; remuer à la mi-cuisson.
— Incorporer le sucre glace et l'essence de vanille en mélangeant bien.
— Ajouter 60 g (2 oz) de noix à la préparation; réserver le reste des noix pour la décoration.
— Réfrigérer la préparation 30 minutes.
— Façonner la préparation refroidie en petites boules puis les rouler dans les noix hachées.
— Envelopper les truffes individuellement dans un morceau de pellicule plastique.
— Garder au réfrigérateur (au plus 2 jours).

Fondre le chocolat de 1 à
1 1/2 minute à 50 % ; remuer puis
poursuivre la cuisson à la même
intensité de 1 à 1 1/2 minute.

Incorporer la crème fouettée au
chocolat fondu.

Ajouter le jaune d'œuf et le beurre
à la crème chocolatée et bien
mélanger.

Tamiser le sucre glace puis
l'incorporer à la préparation en
battant bien pour la rendre
homogène.

Diviser la préparation refroidie en
24 portions que vous façonnerez en
petites boules.

Enrober chaque truffe d'amandes
hachées finement.

Toques aux noix et à l'abricot

L'abricot est originaire de la région de Beijing (Pékin). Bien que les Romains connaissaient déjà ce fruit, l'abricot ne fut vraiment apprécié qu'après le XVIIe siècle. Aujourd'hui, il occupe une place de choix dans la gastronomie, ce qui ne l'empêche pas de remplir dans le quotidien un rôle à sa mesure. Les saveurs du chocolat, de la pâte d'amandes et des noix associées à celle, très caractéristique, de l'abricot font de ces toques un plaisir pour le palais. C'est avec fierté que vous les offrirez.

Toques aux noix et à l'abricot

Complexité	🍴🍴
Temps de préparation	30 min*
Coût par portion	$ $ $
Quantité	24
Temps de cuisson	2 min
Temps de repos	aucun
Intensité	100 %, 50 %
Inscrivez ici votre temps de cuisson	

* Les abricots doivent macérer 2 heures.

Ingrédients

125 ml (1/2 tasse) d'abricots secs coupés en petits morceaux
50 ml (1/4 tasse) de liqueur d'abricot

200 g (7 oz) de pâte d'amandes
125 ml (1/2 tasse) de sucre glace
115 g (4 oz) de chocolat sucré
24 noix entières

Préparation

— Déposer les abricots dans un bol allant au four à micro-ondes et y ajouter la liqueur. Cuire de 45 à 60 secondes à 100 % puis laisser macérer 2 heures.
— Ajouter la pâte d'amandes et mélanger au batteur électrique.
— Ajouter le sucre glace ; bien mélanger, puis pétrir la pâte d'abricot.
— Façonner la pâte en un rouleau de 30 cm (12 po) de longueur et de 2,5 cm (1 po) de diamètre.
— Trancher le rouleau en 24 rondelles de 1,5 cm (1/2 po) d'épaisseur puis garder le tout au réfrigérateur.
— Fondre le chocolat à 50 % 1 minute ou jusqu'à ce qu'il soit fondu.
— Au moyen d'une fourchette, plonger chaque rondelle dans le chocolat fondu.
— Laisser couler le surplus de chocolat puis déposer les toques sur du papier ciré.
— Garnir chaque toque d'une noix entière.

Dans un bol allant au four à micro-ondes, déposer les morceaux d'abricot et la liqueur, puis cuire de 45 à 60 secondes à 100 %.

Mélanger la pâte d'amandes et les abricots macérés au batteur électrique.

Incorporer le sucre glace puis pétrir la pâte d'abricot.

Façonner la pâte en un rouleau de 2,5 cm (1 po) de diamètre et le trancher en 24 rondelles de 1,5 cm (1/2 po) d'épaisseur chacune.

Plonger chaque rondelle dans le chocolat fondu.

Garnir chaque toque d'une noix entière.

Pour faire lever les gâteaux
Les mélanges à gâteau doivent être remués jusqu'à homogénéité parfaite. Cela permet non seulement l'incorporation complète de tous les ingrédients mais aussi la création et la distribution uniforme de petites alvéoles d'air. Ces alvéoles, ou bulles, permettent au gâteau de lever pendant la cuisson. Aussi est-il conseillé de laisser reposer le mélange environ 5 minutes avant de le mettre au four. Si l'on ne respecte pas ce délai, le gâteau risque de ne pas lever en son centre pendant la cuisson !

Carrés à la noix de coco

On ne connaît pas vraiment le pays d'origine de la noix de coco, mais plusieurs s'entendent pour dire qu'elle vient de l'Inde. Une chose est cependant certaine, la noix de coco était connue et fort appréciée des populations indigènes des Amériques avant même l'arrivée des premiers conquérants. En cuisine, on lui associe souvent le parfum de la vanille, et lorsqu'on lui ajoute la riche saveur de la cassonade, on obtient une friandise de rêve. Vos carrés à la noix de coco auront un grand succès.

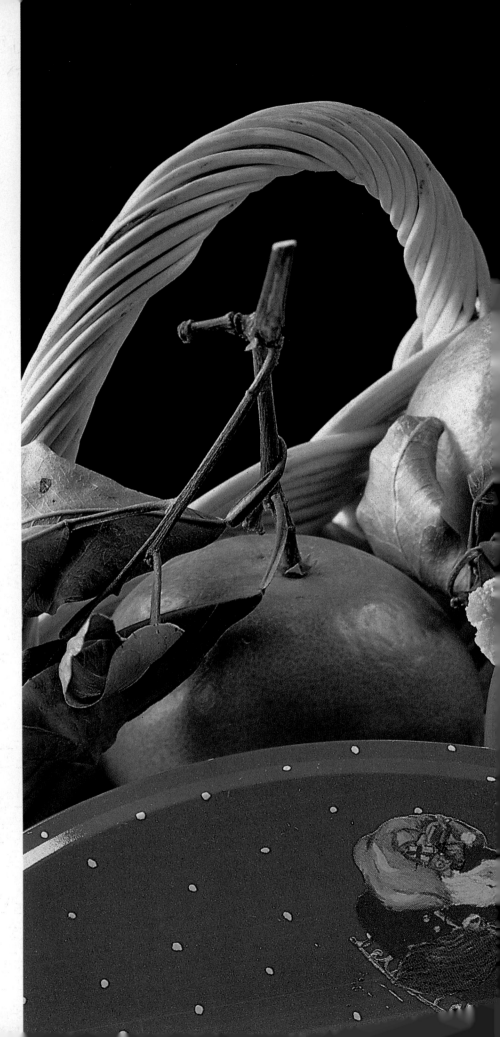

Carrés à la noix de coco

Complexité	🍴
Temps de préparation	20 min
Coût par portion	$
Quantité	12
Temps de cuisson	14 min 45 s
Temps de repos	aucun
Intensité	100 %, 50 %
Inscrivez ici votre temps de cuisson	

Ingrédients

50 ml (1/4 tasse) de beurre
300 ml (1 1/4 tasse) de cassonade
250 ml (1 tasse) de farine
2 œufs

5 ml (1 c. à thé) d'essence de vanille
5 ml (1 c. à thé) de poudre à pâte
150 g (5 oz) de noix de coco grillée

Préparation

— Fondre le beurre
45 secondes à 100 %;
remuer puis incorporer
50 ml (1/4 tasse) de
cassonade.
— Ajouter la farine et bien
mélanger.
— Presser le mélange dans
un moule carré de
20 cm (8 po) de côté.
— Surélever le moule et
cuire le mélange à 50 %
de 4 à 6 minutes ou
jusqu'à ce que le centre
soit cuit; faire pivoter le
moule d'un demi-tour à
la mi-cuisson.
— Laisser refroidir le
mélange.
— Dans un bol, mélanger
le reste de la cassonade,
les œufs, la vanille, la
poudre à pâte et 90 g
(3 oz) de noix de coco
au batteur électrique
jusqu'à ce que le
mélange soit homogène.
— Verser la préparation
aux œufs sur le mélange
de farine.
— Surélever le moule et
cuire à 50 % de 6 à
8 minutes ou jusqu'à ce
que le centre soit cuit;
faire pivoter le moule
d'un demi-tour à la
mi-cuisson.
— Garnir du reste de noix
de coco et laisser
refroidir.
— Couper en carrés au
moment de servir.

Rassembler tous les ingrédients nécessaires à la préparation de ces succulents carrés à la noix de coco.

Mélanger le beurre fondu, 50 ml (1/4 tasse) de cassonade et la farine.

Presser le mélange dans un moule carré allant au four à micro-ondes.

Surélever le moule et cuire le mélange de 4 à 6 minutes à 50 %; faire pivoter le moule d'un demi-tour à la mi-cuisson.

Verser la préparation aux œufs sur le mélange de farine.

Poursuivre la cuisson à 50 % de 6 à 8 minutes ou jusqu'à ce que le centre soit cuit; faire pivoter le moule d'un demi-tour à la mi-cuisson.

Bonbons aux dattes

La datte est le fruit d'un palmier nommé dattier. On en fait la récolte au mois d'octobre dans certaines régions de l'Afrique. D'origine très ancienne et fruit du désert, la datte fait partie de l'alimentation de base des populations oasiennes... On dit même que Mahomet en aimait beaucoup la saveur. Aujourd'hui les dattes sont très utilisées en pâtisserie, mais beaucoup moins en confiserie. Cette lacune est davantage une question de tradition que de goût, car la délicate saveur des dattes s'associe à merveille à celle du sucre cuit et donne des bonbons savoureux. Surprenez en les offrant, tous en seront ravis.

Bonbons aux dattes

Complexité	🍴
Temps de préparation	10 min
Coût par portion	$ $
Quantité	24
Temps de cuisson	9 min
Temps de repos	20 min
Intensité	100 %, 70 %
Inscrivez ici votre temps de cuisson	

Ingrédients

150 g (5 oz) de dattes
dénoyautées, hachées
125 ml (1/2 tasse) de sucre
fin
45 ml (3 c. à soupe) de
beurre
50 ml (1/4 tasse) de lait

1 œuf
2 ml (1/2 c. à thé)
d'essence de vanille
60 ml (4 c. à soupe) de
flocons de maïs écrasés
60 g (2 oz) de noix de
Grenoble hachées
60 g (2 oz) de noix de coco

Préparation

— Dans un bol allant au four à micro-ondes, mélanger les dattes, le sucre et le beurre.
— Cuire le mélange 3 minutes à 100 %; remuer à la mi-cuisson.
— Battre à l'aide d'une cuillère de bois jusqu'à ce que le mélange soit homogène.
— Dans un autre bol, battre le lait, l'œuf et la vanille.
— Y ajouter un peu du mélange de dattes, puis incorporer graduellement le lait vanillé au mélange de dattes en battant constamment.
— Cuire à 70 % de 5 à 6 minutes ou jusqu'à ce que la préparation épaississe; remuer 2 fois en cours de cuisson.
— Laisser refroidir la préparation de 15 à 20 minutes.
— Diviser la préparation en 24 portions et façonner en boules.
— Mélanger le reste des ingrédients et y rouler chaque boule aux dattes.
— Garder au réfrigérateur.

Dans un bol allant au four à micro-ondes, mélanger les dattes, le sucre et le beurre.

Cuire le mélange 1 1/2 minute à 100%; remuer puis poursuivre la cuisson à la même intensité 1 1/2 minute.

Incorporer graduellement le mélange de lait à celui de dattes en battant constamment.

Cuire la préparation à 70% de 5 à 6 minutes ou jusqu'à ce qu'elle épaississe.

Diviser la préparation en 24 portions et façonner chacune en petite boule.

Mélanger les flocons de maïs, les noix et la noix de coco et y rouler chaque boule aux dattes.

TRUCS

Des herbes fraîches à offrir

Le goût des fines herbes est incomparable lorsqu'elles sont bien fraîches et un certain nombre d'entre elles peuvent être cultivées dans des pots à fleurs de la même façon que les plantes d'intérieur. Alors pourquoi ne pas en offrir? Elles font un petit cadeau fort original. Joindre une petite étiquette indiquant l'intensité de lumière qui leur convient le mieux: l'aneth, le basilic, la ciboulette, la coriandre, la marjolaine, le persil, le romarin, la sarriette, la sauge et le thym aiment le soleil; le laurier et la verveine poussent à l'ombre; le cerfeuil, la citronnelle, l'estragon et la menthe s'accommodent autant du soleil que de l'ombre.

Caramel croquant

Du sucre et du sirop de maïs pour un caramel bien doré; des arachides et du beurre d'arachides pour la riche saveur et le «croquant»; puis des raisins... pour le plaisir de la différence, le tout reposant sur des craquelins au son... Voilà une recette qui ne répond à aucune tradition, sinon à celle que vous créerez en offrant ce caramel croquant. Tous voudront percer votre secret. Évidemment, vous pouvez céder et partager cette recette, mais il ne vous est pas interdit de la conserver pour vous, ajoutant ainsi au caractère précieux de ces friandises. Une chose est certaine: tout le monde se régalera!

Caramel croquant

Complexité	(ustensiles)
Temps de préparation	10 min
Coût par portion	$ $
Quantité	12
Temps de cuisson	9 min
Temps de repos	20 min
Intensité	100 %, 90 %
Inscrivez ici votre temps de cuisson	

Ingrédients

12 craquelins au son carrés
125 ml (1/2 tasse) de sucre
500 ml (2 tasses) de sirop
de maïs

175 g (6 oz) d'arachides
grillées non salées
230 g (8 oz) de beurre
d'arachides croquant
115 g (4 oz) de raisins secs

Préparation

— Déposer les craquelins
au fond d'un moule
carré de 20 cm (8 po)
de côté.
— Dans un bol allant au
four à micro-ondes,
mélanger le sucre et le
sirop de maïs.
— Cuire le mélange à
100 % de 4 à 6 minutes
ou jusqu'à ce qu'il
atteigne le point
d'ébullition; remuer
2 fois pendant la
cuisson; poursuivre la
cuisson 3 minutes à
90 %.
— Ajouter le reste des
ingrédients au sirop
chaud et bien mélanger.
— Verser le mélange sur
les craquelins et laisser
reposer de 15 à
20 minutes.
— Couper le caramel en
carrés avant d'envelopper
individuellement.

TRUCS

Pour évaluer la teneur en pectine d'un fruit
Voici un truc simple
et rapide pour évaluer

vous-même la teneur en
pectine d'un fruit. Dans un
récipient, verser 5 ml
(1 c. à thé) de jus du fruit
qui sera apprêté en
conserve, puis ajouter
30 ml (2 c. à soupe)
d'alcool à brûler et remuer.
Attendre de 1 à 2 minutes,
le temps que la pectine
contenue dans le jus se
gélifie. De petites

particules au fond de
votre récipient indiquent
une faible teneur en
pectine alors qu'une masse
de gélatine indique une
teneur élevée. Une fois
l'opération terminée, jeter
le contenu du récipient et
bien rincer celui-ci car
l'alcool à brûler est
toxique.

Déposer les craquelins au fond d'un moule carré.

Dans un bol allant au four à micro-ondes, mélanger le sucre et le sirop puis cuire à 100%.

Remuer le sirop 2 fois pendant la cuisson.

Ajouter les arachides, le beurre d'arachides et les raisins au sirop; bien mélanger.

Verser le mélange sur les craquelins et laisser reposer de 15 à 20 minutes.

Couper le caramel en carrés avant d'envelopper individuellement.

Bananes chocolatées

Voici une recette qui est de la plus pure tradition dans l'art du confisier : enrober des fruits frais de chocolat fondu ! Pour obtenir de bons résultats, il faut chauffer le chocolat additionné d'huile jusqu'à ce qu'il soit complètement fondu et parfaitement fluide, et attendre qu'il refroidisse légèrement avant d'y tremper les fruits. En effet, s'il est trop chaud, il coulera simplement sur le morceau de fruit sans l'enrober, et s'il est trop froid, des traînées blanchâtres apparaîtront à la surface du chocolat. Pour conserver le chocolat fondu à la bonne température, déposez le bol qui le contient dans un récipient rempli d'eau chaude. Vous pourrez ainsi enrober vos morceaux de banane en toute quiétude.

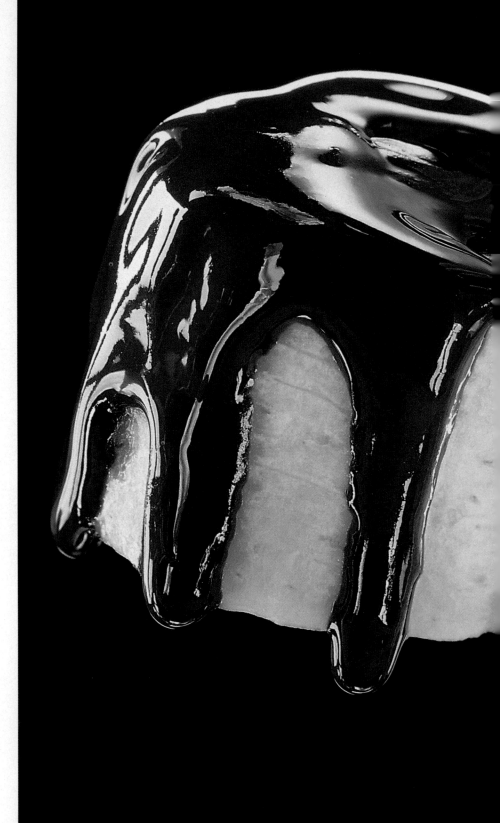

Bananes chocolatées

Complexité	🍴🍴
Temps de préparation	20 min
Coût par portion	**$**
Quantité	40 morceaux
Temps de cuisson	5 min
Temps de repos	15 min
Intensité	50 %
Inscrivez ici votre temps de cuisson	

Ingrédients

5 bananes bien fermes
350 g (12 oz) de grains de chocolat

30 ml (2 c. à soupe) d'huile
décoration au chocolat
décoration multicolore

Préparation

— Trancher les bananes en morceaux de 2,5 cm (1 po) d'épaisseur.
— Dans un bol allant au four à micro-ondes, mélanger l'huile et le chocolat puis cuire au four à 50 % de 3 à 5 minutes ou jusqu'à ce que le chocolat soit fondu ; remuer 2 fois pendant la cuisson.
— Piquer un cure-dents dans chaque morceau de banane.
— Tremper les morceaux de banane dans le chocolat fondu.
— Dans un petit bol, mélanger suffisamment de décoration à gâteau multicolore et au chocolat pour enrober la base de chaque morceau de banane.
— Laisser refroidir de 10 à 15 minutes.

TRUCS

Pour confire des pétales de fleurs
Les pétales de rose, de violette, de géranium rose et de freesia sont comestibles ; confits, ils ajoutent une touche décorative toute délicate aux pâtisseries et confiseries.
Dans un bol, mélanger 1 part de gomme arabique en poudre (résine naturelle qu'on trouve sur le marché) et 2 parts d'eau de rose. Au moyen d'un pinceau souple, badigeonner soigneusement les pétales ou les fleurs entières de ce mélange, puis les déposer sur une assiette. Les saupoudrer de sucre puis les laisser sécher près d'une source de chaleur jusqu'à ce que leur texture soit très ferme et qu'ils soient friables.

Trancher les bananes en morceaux de 2,5 cm (1 po) d'épaisseur.

Fondre le chocolat additionné d'huile de 3 à 5 minutes à 50%; remuer 2 fois pendant la cuisson.

Piquer un cure-dents dans chaque morceau de banane.

Tremper la base des morceaux de banane dans le chocolat fondu.

Enrober la base des morceaux de banane du mélange de décoration à gâteau multicolore et au chocolat.

Laisser refroidir les morceaux de banane de 10 à 15 minutes et les garder au réfrigérateur jusqu'au moment de servir.

TRUCS

Pour mesurer les corps gras

Les corps gras comme la graisse végétale, le saindoux et le shortening sont beaucoup plus faciles à mesurer si on verse d'abord 125 ml (1/2 tasse) d'eau froide dans la tasse à mesurer. Ajouter ensuite le corps gras en calculant 125 ml de plus. La quantité de matière grasse dans la tasse sera exacte lorsque ce nouveau repère sera atteint; par exemple, pour 50 ml (1/4 tasse) de corps gras, le repère sera 175 ml (3/4 tasse).

Croquant
aux arachides

Tous les amateurs de
croquant aux arachides
se régaleront! Cette
recette est si facile à faire
qu'elle pourrait même
servir de premier essai
en confiserie : le succès
est assuré! Il suffit de
cuire le sirop de maïs et
le sucre, auxquels vous
ajouterez les arachides,
jusqu'au stade de caramel
clair (voir le tableau
p. 13). La vanille parfumera
délicatement le tout.
Remuez, puis versez sur
des plaques. Utilisez une
spatule huilée pour
égaliser le caramel puis
laissez-le refroidir.
Brisez le croquant aux
arachides en morceaux et
enveloppez-les dans de
la pellicule plastique
colorée. Un cadeau des
plus délicieux!

Croquant aux arachides

Complexité	🍴
Temps de préparation	10 min
Coût par portion	$ $
Temps de cuisson	13 min
Temps de repos	aucun
Intensité	100 %
Inscrivez ici votre temps de cuisson	

Ingrédients

450 g (1 lb) de sucre extra-fin
300 ml (1 1/4 tasse) de sirop de maïs
1 ml (1/4 c. à thé) de sel
350 g (12 oz) d'arachides salées

30 ml (2 c. à soupe) de beurre
7 ml (1/2 c. à soupe) d'essence de vanille
5 ml (1 c. à thé) de poudre à pâte

Préparation

— Dans un bol allant au four à micro-ondes, mélanger le sucre, le sirop de maïs et le sel puis cuire de 9 à 11 minutes à 100 %; remuer 2 fois pendant la cuisson.
— Ajouter les arachides et bien mélanger.
— Cuire 1 minute à 100 %; remuer puis poursuivre la cuisson à la même intensité 1 minute.
— Ajouter le beurre, la vanille et la poudre à pâte puis remuer vigoureusement jusqu'à ce que la préparation devienne lisse et crémeuse.
— Verser la préparation sur une plaque à biscuits graissée puis en égaliser la surface à l'aide d'une spatule huilée.
— Laisser refroidir le croquant aux arachides.
— Briser le croquant en morceaux avant d'envelopper chaque portion individuellement.

TRUCS

Ne pas trop pétrir la pâte d'un gâteau
Les ingrédients qui entrent dans la composition d'une pâte à gâteau établissent entre eux des relations chimiques assez fragiles.

Éviter de pétrir le mélange exagérément car la pâte pourrait ne pas lever.

Les sirops et le sucre deviennent très chauds
Si on désire faire réduire un sirop, celui d'une compote par exemple, ou faire fondre du sucre, il faut savoir que le liquide deviendra très chaud parce que le sucre attire les micro-ondes. Toujours utiliser à cette fin un récipient en verre pouvant résister à des températures élevées.

Dans un bol allant au four à micro-ondes, mélanger le sucre, le sirop de maïs et le sel.

Cuire la préparation de 9 à 11 minutes à 100% en remuant 2 fois pendant la cuisson.

Ajouter les arachides au sirop et bien mélanger.

Reprendre la cuisson 2 minutes à 100%; remuer à la mi-cuisson.

Ajouter le beurre, la vanille et la poudre à pâte puis remuer vigoureusement.

Verser le caramel croquant sur une plaque à biscuits graissée.

Bouchées au beurre d'arachides

Quel plaisir vous aurez à offrir ces bouchées! Une jolie boule de beurre d'arachides crémeux, de chapelure de biscuits et de sucre glace que vous glisserez dans un godet en chocolat et que vous recouvrirez de chocolat fondu. Un régal! Servies avec un café bien fort ou votre thé favori, vous verrez, ces bouchées ne pourront être égalées.
Si vous aimez varier les garnitures, vous pouvez reprendre cette technique pour fabriquer des chocolats à la cerise et au fondant ou pour remplir ces délicieux petits godets de votre pâte de fruits favorite, et cela au gré de votre fantaisie.

Bouchées au beurre d'arachides

Complexité	🍴🍴🍴
Temps de préparation	30 min
Coût par portion	$ $
Quantité	24
Temps de cuisson	6 min
Temps de repos	30 min
Intensité	50 %
Inscrivez ici votre temps de cuisson	

Ingrédients

30 ml (2 c. à soupe) de beurre
50 ml (1/4 tasse) de beurre d'arachides crémeux
75 ml (1/3 tasse) de chapelure de biscuits Graham
50 ml (1/4 tasse) de sucre glace
230 g (8 oz) de grains de chocolat
24 petits moules de papier

Préparation

— Dans un bol allant au four à micro-ondes, mélanger le beurre et le beurre d'arachides.
— Cuire le mélange 3 minutes à 50 %; remuer 2 fois pendant la cuisson.
— Ajouter graduellement la chapelure et le sucre glace aux beurres chauds. Bien mélanger et réserver.
— Dans un autre bol allant au four à micro-ondes, déposer le chocolat et fondre 2 minutes à 50 % en remuant à la mi-cuisson.
— Au sortir du four, déposer le bol contenant le chocolat fondu dans un récipient rempli d'eau bouillante.
— Verser 5 ml (1 c. à thé) de chocolat fondu dans chaque moule en papier; faire pivoter le moule pour que le chocolat adhère bien aux parois puis laisser refroidir de 15 à 20 minutes. Réserver le chocolat restant.
— Diviser la préparation aux arachides en 24 portions et façonner en petites boules. Presser une boule dans chacun des moules.
— Fondre à nouveau le reste du chocolat de 30 à 60 secondes à 50 %.
— Verser le chocolat fondu dans les moules pour bien recouvrir la préparation aux arachides.
— Réfrigérer au moins 10 minutes.
— Attendre que les bouchées au beurre d'arachides soient complètement refroidies avant de les démouler.

Dans un bol allant au four à micro-ondes, mélanger le beurre et le beurre d'arachides. Cuire à 50% en remuant 2 fois pendant la cuisson.

Ajouter graduellement la chapelure et le sucre glace aux beurres. Réserver.

Pour empêcher que le chocolat refroidisse trop rapidement, déposer le bol contenant le chocolat fondu dans un récipient rempli d'eau bouillante.

Verser 5 ml (1 c. à thé) de chocolat fondu dans chaque moule en papier. Veiller à ce que le chocolat adhère bien aux parois du moule.

Déposer une boule de préparation aux arachides dans chaque moule et presser.

Remplir les moules de chocolat fondu. Réfrigérer et attendre que les bouchées soient complètement refroidies avant de les démouler.

Des godets en chocolat
Voici une utilisation simple et amusante des petits godets en chocolat (sans leur garniture au beurre d'arachides!). Déposer un petit godet rempli de crème ou de lait dans une tasse de café ou de chocolat chaud. Il flottera quelques secondes avant de fondre et de répandre doucement son contenu dans la boisson. Cette délicate décoration en surprendra plus d'un. Mais pour que cet effet ne soit pas raté, ne pas tarder à servir les boissons; les godets fondent bien vite.

Tire éponge

Complexité	🍴🍴
Temps de préparation	10 min
Coût par portion	$
Temps de cuisson	15 min
Temps de repos	aucun
Intensité	100 %
Inscrivez ici votre temps de cuisson	

Ingrédients

250 ml (1 tasse) de sucre
375 ml (1 1/2 tasse) de
sirop de maïs

15 ml (1 c. à soupe) de
vinaigre
15 ml (1 c. à soupe) de
bicarbonate de soude

Préparation

— Dans un grand faitout,
mélanger le sucre, le
sirop de maïs et le
vinaigre.
— Cuire le mélange de
11 à 13 minutes à
100 % ; remuer 2 fois
pendant la cuisson.
— Vérifier la cuisson en
laissant tomber une
petite cuillerée de tire
dans un verre d'eau
froide ; la tire doit
devenir dure, sinon
poursuivre la cuisson à
100 % de 1 à 2 minutes.
— Incorporer rapidement
le bicarbonate de soude
à la tire puis verser
celle-ci dans un moule
carré graissé.
— Laisser reposer à la
température ambiante
jusqu'à ce que la tire
devienne ferme.
— Couper la tire en petites
portions et envelopper
individuellement.

TRUCS

Des biscuits en damiers
Les biscuits deux tons
(voir la recette à la page
20) peuvent prendre des
formes inusitées. L'une
d'elles est particulièrement
intéressante : le damier.
Abaisser les deux morceaux
de pâte (pâle et foncée) au
rouleau. Badigeonner une
des abaisses de blanc
d'œuf battu et la recouvrir
de l'autre. Abaisser de
nouveau la pâte pour que
les deux abaisses adhèrent
bien l'une à l'autre puis
égaliser les bords du
rectangle. Diviser celui-ci
en trois parties d'égale
largeur, en badigeonner la
surface d'œuf battu puis
les superposer. Le rectangle
présente horizontalement
et en alternance trois
bandes de chaque couleur.
Saupoudrer le rouleau à
pâtisserie de sucre glace et
presser légèrement le
rectangle de pâte pour que
les bandes contrastantes
soient bien collées les
unes aux autres.
Diviser le rectangle en
quatre parties égales dans
le sens de la longueur, puis
superposer les bandes en
faisant alterner les couleurs
de façon à donner l'effet
de damier. Trancher le
nouveau rectangle en
portions puis procéder à
la cuisson.

Écorces
confites

La conservation des fruits
dans le sucre est une
technique séculaire. Les
prunes, les cerises, la
chair de l'ananas ou celle
des pêches et les écorces
d'agrumes ont toutes été
confites avec grand
succès. Si ce procédé de
conservation est parvenu
jusqu'à nous, c'est que
les fruits et les écorces
ainsi préparés sont sans
pareils. Leur texture est
ferme et leur parfum
concentré séduit l'odorat.
La recette d'écorces
confites que nous vous
proposons est un classique
bien qu'il ne soit pas
courant de réaliser
l'opération au moyen du
four à micro-ondes. Les
résultats que vous
obtiendrez vous
combleront. Servez les
écorces confites dans du
café ou du thé bien
chaud, c'est ainsi qu'elles
dégagent toute leur
saveur.

Écorces confites

Complexité	🍴🍴
Temps de préparation	30 min
Coût par portion	$
Temps de cuisson	11 min 30 s
Temps de repos	aucun
Intensité	100 %
Inscrivez ici votre temps de cuisson	

Ingrédients

1 citron
1 orange
1 375 l (5 1/2 tasses) d'eau
160 ml (2/3 tasse) de sucre
sucre glace au goût

Préparation

— Au moyen d'un couteau-éplucheur, retirer l'écorce des fruits. Couper les écorces en lanières et réserver.
— Dans un bol allant au four à micro-ondes, verser 50 ml (1/4 tasse) d'eau, ajouter le sucre puis mettre au four 30 secondes à 100 %; remuer et réserver.
— Dans un autre bol allant au four à micro-ondes, verser 440 ml (1 3/4 tasse) d'eau; ajouter les écorces et cuire 5 minutes à 100 %. Égoutter.
— Faire cuire les écorces deux autres fois, de la même façon, en renouvelant l'eau de cuisson et en égouttant chaque fois.
— Rincer les écorces et les éponger soigneusement avec du papier essuie-tout.
— Ajouter les écorces au sirop réservé puis cuire à découvert 6 minutes à 100 %; remuer à la mi-cuisson.
— Égoutter les écorces dans une passoire puis les déposer sur une grille métallique. Laisser refroidir légèrement.
— Saupoudrer les écorces de sucre glace puis laisser refroidir complètement.
— Conserver les écorces dans des pots.
— Servir dans du café, du chocolat chaud, de la fondue au chocolat ou avec de la crème glacée. Les écorces confites peuvent aussi servir à décorer les desserts.

Au moyen d'un couteau-éplucheur, retirer l'écorce des fruits ; réserver.

Préparer le sirop en ajoutant le sucre à l'eau ; cuire 30 secondes à 100 %.

Cuire les écorces à 3 reprises dans 440 ml (1 3/4 tasse) d'eau fraîche.

Éponger soigneusement les écorces avec du papier essuie-tout.

Déposer les écorces dans le sirop réservé ; cuire 6 minutes à 100 %.

Saupoudrer les deux côtés des écorces de sucre glace puis laisser refroidir complètement avant de mettre en pot.

Conserves à offrir

«Eh bien moi, je t'irai porter des confitures» écrivait Victor Hugo. Au XIXe siècle, la confiture était un cadeau des plus appréciés. Aujourd'hui encore, rien ne remplace le plaisir d'offrir la fraîcheur des meilleurs produits de saison conservés toute l'année par des soins attentifs.

Bien qu'il soit possible de se procurer toute l'année des produits saisonniers cultivés en serre ou importés, la saveur qu'ils ont en saison n'a pas son pareil; et c'est ainsi que les procédés de conservation nous permettent de déguster ces délices : à leur meilleur.

Que vous souhaitiez conserver toutes les propriétés naturelles des aliments afin de les savourer tels quels ou que vous décidiez de transformer leur saveur et leur texture par un procédé de conservation, les conserves permettent de «fixer» la fraîcheur des saisons. Vous pouvez choisir de conserver vos aliments dans le sucre, le sel, le vinaigre ou l'alcool, en les apprêtant en confiture, en gelée, ou en condiments. Tous les procédés de conservation ne conviennent cependant pas à tous les fruits et légumes. Un coup d'œil au tableau de la page 15 vous aidera à déterminer l'agent de conservation le plus approprié aux aliments que vous voulez conserver.

Les conserves sont devenues un symbole; elles évoquent une époque, un certain art de vivre : le temps des potagers et des fruits que l'on regardait mûrir, que l'on cueillait lorsqu'ils avaient atteint le summum de leur saveur; le temps des beaux cahiers où l'on copiait les recettes auxquelles la tradition nous rattachait; le temps des étiquettes calligraphiées et des armoires à confitures... que les enfants, juchés sur une chaise tentaient d'atteindre à tout prix. Comme il est bon de retrouver la joie des choses simples, de fabriquer et d'offrir ses conserves.

Confiture de courgettes

Nous trouvons la première recette de confiture de courges dans *Le Ménagier de Paris* paru vers 1393. Plus qu'un simple procédé de conservation, la confiture était une denrée précieuse et c'est avec honneur qu'on la servait.
La recette de confiture que nous vous proposons est composée de courgettes cuites dans l'eau auxquelles on ajoute du sucre, du jus de citron, de l'ananas et de la poudre aromatisée à l'abricot. Un délice !

Toutefois la courgette et l'ananas sont pauvres en pectine ; donc, si vous aimez la confiture bien ferme, vous n'avez qu'à ajouter quelques gouttes de jus de citron.

Confiture de courgettes

Complexité	(icône)
Temps de préparation	20 min
Coût par portion	**$**
Quantité	1 l (32 oz)
Temps de cuisson	11 min
Temps de repos	aucun
Intensité	100 %
Inscrivez ici votre temps de cuisson	(icône)

Ingrédients

1,5 l (6 tasses) de
courgettes râpées
1 l (4 tasses) de sucre
jus de 1/2 citron

250 ml (1 tasse) d'ananas
broyé
1 boîte de 175 g (6 oz) de
poudre aromatisée à
l'abricot

Préparation

— Dans un bol allant au
four à micro-ondes,
cuire les courgettes à
couvert à 100 % de 4 à
6 minutes ou jusqu'à ce
qu'elles soient
complètement cuites.
— Ajouter le sucre, le jus
de citron et l'ananas
puis continuer la
cuisson de 4 à
5 minutes à 100 % ;
remuer 2 fois pendant
la cuisson.
—Ajouter la poudre
aromatisée et bien
mélanger. Laisser
refroidir avant de
mettre en pot.
— Conserver la confiture
de courgettes au
réfrigérateur.

TRUCS

Pour préparer une noix de coco

Il est possible de trouver
dans le commerce de la
noix de coco râpée et mise
en sachet. Cependant,
lorsqu'on peut se procurer
de la noix de coco fraîche
pour confectionner les
desserts, c'est tellement
meilleur !

Commencer par couper la
touffe fibreuse qui coiffe la
noix de coco ; puis au
moyen d'une tige de
métal, percer les 3 cavités
à la pointe du fruit et
retourner la noix de coco
pour en extraire le lait.
Ouvrir la noix de coco en
donnant plusieurs coups
secs au tiers de sa hauteur
au moyen d'un maillet ou
du dos d'un couperet.
Dégager la pulpe blanche
qui se détache facilement
de la coque. Avant de
râper la pulpe, la séparer
en morceaux et enlever la
pellicule brune qui la
recouvre.

Pour faire les meilleures mousses qui soient

Certains fruits frais,comme
l'ananas, contiennent des
enzymes qui empêchent la
gélatine de prendre. Il faut,
dans ce cas, faire cuire les
fruits (la cuisson détruit les
enzymes) ou les remplacer
par des fruits en conserve.
Par ailleurs, plusieurs
boissons alcoolisées peuvent
aromatiser les mousses
d'une délicieuse façon. Le
madère, par exemple,
ajoutera du caractère au
goût des abricots et la
liqueur de café soulignera
le goût corsé du moka. Le
vin blanc doux, le kirsch, le
marasquin et même le
champagne peuvent aussi
être mis à contribution.

Rassembler tous les ingrédients et ustensiles nécessaires à la préparation de cette succulente recette.

Dans un récipient couvert, cuire les courgettes râpées de 4 à 6 minutes à 100%.

Ajouter le sucre, le jus de citron et l'ananas avant de reprendre la cuisson de 4 à 5 minutes à 100%.

Remuer le mélange 2 fois pendant la cuisson.

Ajouter la poudre aromatisée à l'abricot et bien mélanger.

Verser la confiture de courgettes dans des pots puis laisser refroidir avant de réfrigérer.

Pour bien choisir les légumes à blanchir
Le blanchiment est encore la meilleure façon de préparer les légumes afin d'en prolonger la période de conservation, que ce soit par la congélation ou la mise en conserve. Cependant, on doit choisir avec beaucoup d'attention les légumes qu'on désire conserver sur une longue période de temps : des légumes de première qualité, très frais, aussi jeunes et tendres que possible. Ces procédés ne font que conserver les qualités essentielles des légumes, ils ne les amélioreront jamais.

Confiture de canneberges

Quel plaisir de retrouver
sur la table un pot de
confiture de canneberges
au moment de découper
la dinde traditionnelle du
repas des Fêtes.
Canneberges, oranges,
sucre et gingembre confit
associent leur saveur
pour séduire le palais.
Son parfum subtil est
irrésistible ; sa texture,
son goût riche et
moelleux rappellent le
chutney et ses épices.
Mais pourquoi attendre
le temps des Fêtes pour
l'offrir ? Cette confiture
de canneberges rehaussera
à merveille n'importe
quel plat de volaille, été
comme hiver.

Confiture de canneberges

Complexité	🍴
Temps de préparation	15 min
Coût par portion	$ $
Quantité	1 l (32 oz)
Temps de cuisson	10 min
Temps de repos	aucun
Intensité	100 %
Inscrivez ici votre temps de cuisson	

Ingrédients

2 oranges
675 g (1 1/2 lb) de canneberges

175 ml (3/4 tasse) de sucre
60 g (2 oz) de gingembre confit

Préparation

— Retirer le zeste des oranges à l'aide d'un couteau-éplucheur puis extraire leur jus.
— Dans un bol allant au four à micro-ondes, mélanger les canneberges, le jus et le zeste d'orange, le sucre et le gingembre.
— Cuire à 100 % de 8 à 10 minutes ou jusqu'à ce que la confiture soit juteuse ; remuer 2 fois pendant la cuisson.
— Verser dans des pots puis laisser refroidir à la température ambiante.
— Conserver la confiture au réfrigérateur.

TRUCS

Pour réussir des confitures, gelées et marmelades bien fermes

Un bon équilibre entre la pectine, le sucre et l'acidité des fruits est nécessaire à la réussite de belles confitures. Les pépins, la chair et la peau de la plupart des fruits contiennent de la pectine, substance soluble et gélatineuse. Chauffée avec du sucre et en contact avec l'acidité des fruits, la pectine se gélifie et permet aux gelées et aux marmelades de prendre. Les fruits riches en pectine sont souvent très acides ; cuits avec du sucre, ils donneront une marmelade bien ferme. Les fruits moins acides ont une teneur moyenne ou faible en pectine ; pour réussir une belle marmelade avec ces fruits, on peut ajouter soit des fruits plus riches en pectine, soit du concentré de pectine et du jus de citron.

La première solution donne toujours de très bons résultats. Voici un tableau qui saura sans doute inspirer les associations les plus diverses.

Fruits à forte teneur en pectine (acidité moyenne ou élevée)	Fruits à teneur moyenne en pectine (acidité moyenne ou faible)	Fruits à faible teneur en pectine (acidité moyenne ou faible)
Citron, groseille, pamplemousse, lime, pomme, prune, orange, etc.	Abricot, bleuet, framboise, mandarine, raisin, etc.	Ananas, brugnon, cerise, figue, fraise, fruit de la passion, melon, pêche, poire, rhubarbe, etc.

Rassembler tous les ingrédients nécessaires pour préparer cette délicieuse conserve.

Au moyen d'un couteau-éplucheur, retirer le zeste des oranges.

Mélanger tous les ingrédients de la confiture dans un grand bol allant au four à micro-ondes et cuire de 8 à 10 minutes à 100%.

Remuer la confiture 2 fois pendant la cuisson.

Verser la confiture de canneberges dans des pots.

Laisser refroidir à la température ambiante.

Chutney aux pommes

Le chutney désigne généralement un mélange de fruits ou de légumes, conservés avec du vinaigre, du sucre et des épices. Il fait une excellente sauce d'accompagnement pour la viande. Dans la présente recette, une longue cuisson permet de tirer parti de la chair tendre des pommes et d'amalgamer les saveurs de l'oignon, de l'ail, des raisins secs, du sucre et des épices. C'est sans aucun doute la façon la plus simple et la plus économique de conserver les fruits avec du vinaigre, car à l'inverse d'autres procédés, la fabrication d'un chutney peut se faire avec des aliments imparfaits, dont il suffit d'enlever les parties meurtries. Avec ce chutney aux pommes, vous découvrirez le goût des conserves d'antan.

Chutney aux pommes

Complexité	
Temps de préparation	30 min
Coût par portion	$
Quantité	450 ml (16 oz)
Temps de cuisson	25 min
Temps de repos	aucun
Intensité	100 %
Inscrivez ici votre temps de cuisson	

Ingrédients

675 g (1 1/2 lb) de pommes à cuire
1 oignon haché finement
1 gousse d'ail pilée
50 ml (1/4 tasse) de raisins secs
10 ml (2 c. à thé) de fines herbes

2 ml (1/2 c. à thé) de sauge
5 ml (1 c. à thé) de sel
375 ml (1 1/2 tasse) de jus de pomme
45 ml (3 c. à soupe) de vinaigre
50 ml (1/4 tasse) de sucre

Préparation

— Éplucher les pommes, en retirer le cœur puis couper la chair en quartiers.
— Dans un grand bol allant au four à micro-ondes, mélanger tous les ingrédients puis cuire de 20 à 25 minutes à 100 % en remuant toutes les 5 minutes.
— Vérifier que les pommes soient bien cuites. Sinon, poursuivre la cuisson jusqu'à ce qu'elles le soient.
— Verser le chutney aux pommes chaud dans des pots puis laisser refroidir à la température ambiante.
— Conserver au réfrigérateur.

TRUCS

Pour conserver le zeste de citron ou d'orange
Si on a râpé trop de zeste de citron ou de zeste d'orange, ou si on désire tout simplement en préparer à l'avance, on peut le conserver durant quelques jours. Il suffit de mettre le zeste dans un petit contenant fermé hermétiquement et de le garder au réfrigérateur.

Pour que la compote ne tourne pas à la purée
Quand on prépare une compote avec des fruits qui n'ont pas la même densité, on risque d'obtenir une purée ou un mélange de fruits trop cuits ou trop fermes. On peut cependant éviter ces résultats décevants en déterminant, en fonction de leur fermeté respective, l'ordre

Rassembler d'abord tous les ingrédients nécessaires à la préparation de ce délicieux chutney aux pommes.

Éplucher soigneusement les pommes et en retirer le cœur.

Couper la chair des pommes en quartiers.

Dans un grand bol allant au four à micro-ondes, mélanger tous les ingrédients.

Cuire le chutney de 20 à 25 minutes à 100 % en remuant toutes les 5 minutes.

Verser le chutney aux pommes chaud dans des pots puis laisser refroidir à la température ambiante avant de réfrigérer.

dans lequel les fruits seront incorporés à la préparation.
Les gros fruits durs comme les pommes, les poires et les pêches ouvriront le bal. Pour en accélérer la cuisson, les couper en deux ou en quartiers.

Les morceaux d'ananas et de rhubarbe feront également partie du premier arrivage. Interrompre la cuisson pour ajouter les fruits de fermeté moyenne : oranges, cerises, bananes, raisin frais. Enfin, ajouter avant la fin de la cuisson les

fruits très fragiles comme la pastèque, le melon, les mûres et les framboises. En suivant cette méthode et avec un peu d'expérience, on arrive à préparer une compote parfaite contenant de beaux morceaux de fruits qui fondent sous la dent.

Antipasto mariné

Contrairement au chutney, qui est un mélange de fruits ou de légumes cuits longuement, les «pickles» sont des fruits ou des légumes, généralement en morceaux, macérés dans du vinaigre. Ce procédé conserve les propriétés naturelles des aliments. Leur saveur peut être transformée par l'addition de vinaigre d'alcool, de malt, de vin ou de cidre; des épices en relèvent le goût et aident à la conservation. La recette d'antipasto mariné que nous vous proposons est un classique inspiré de la cuisine italienne. Servis en entrée, ces légumes rehaussent à merveille le goût délicat de la terrine de veau... Succulent!

Antipasto mariné

Complexité	🍴🍴
Temps de préparation	30 min
Coût par portion	$ $
Temps de cuisson	12 min
Temps de repos	2 à 3 jours
Intensité	100 %
Inscrivez ici votre temps de cuisson	

Ingrédients

3 carottes
1 poivron vert
1 poivron rouge
125 ml (1/2 tasse) d'eau
125 ml (1/2 tasse) de choux de Bruxelles
125 ml (1/2 tasse) de petits champignons entiers
125 ml (1/2 tasse) de bouquets de chou-fleur
125 ml (1/2 tasse) de bouquets de brocoli
14 olives noires

Marinade
300 ml (1 1/4 tasse) d'eau
150 ml (5/8 tasse) de vinaigre de cidre
15 ml (1 c. à soupe) de sel
15 ml (1 c. à soupe) d'huile
1 gousse d'ail
1 feuille de laurier
1 pincée de basilic
1 pincée d'origan

Préparation

— Émincer les carottes en bâtonnets de 2,5 cm (1 po) de largeur et trancher les poivrons en morceaux de 2,5 cm (1 po). Réserver. Séparer le chou-fleur et le brocoli en petits bouquets. Arranger les choux de Bruxelles et brosser les champignons. Réserver.
— Dans un grand faitout mélanger tous les ingrédients de la marinade, sauf l'ail et les épices, puis chauffer le tout à 100 % de 4 à 6 minutes ou jusqu'à ce que le point d'ébullition soit atteint.
— Ajouter l'ail, la feuille de laurier et les épices ; réserver.
— Dans un récipient couvert, cuire le chou-fleur, le brocoli et les choux de Bruxelles dans 125 ml (1/2 tasse) d'eau de 5 à 6 minutes à 100 % ; remuer à la mi-cuisson.
— Égoutter les légumes et les éponger avec du papier essuie-tout. Laisser refroidir.
— Disposer harmonieusement les légumes et les olives dans des bocaux à large goulot.
— Remplir les pots de marinade et réfrigérer de 2 à 3 jours avant de servir.
— Conserver l'antipasto mariné au réfrigérateur.

Préparer tous les légumes.

Préparer la marinade en faisant chauffer l'eau, le vinaigre, le sel et l'huile. Ajouter ensuite l'ail, la feuille de laurier et les épices. Réserver.

Dans un récipient couvert, verser 125 ml (1/2 tasse) d'eau et y cuire le chou-fleur, le brocoli et les choux de Bruxelles de 5 à 6 minutes à 100 %. Égoutter.

Éponger les légumes et les laisser refroidir.

Disposer les légumes et les olives harmonieusement dans des pots à large goulot.

Remplir les pots de la marinade réservée et réfrigérer de 2 à 3 jours avant de servir. L'antipasto mariné se conserve au réfrigérateur.

Conseils

La réussite, en pâtisserie comme en confiserie, tient souvent à des détails qui, si on les néglige, peuvent transformer une recette prometteuse en vive déception. Voici donc quelques petits conseils à mettre en pratique à la prochaine occasion.

Cuisson

— Ne jamais fariner un moule avant la cuisson aux micro-ondes. Utiliser des craquelins ou des biscuits Graham émiettés ou encore de la chapelure. Mieux encore, vaporiser l'intérieur des moules d'une substance anti-adhésive.

— Éviter de prolonger la cuisson d'une pâte contenant du sucre au-delà du temps indiqué dans la recette, car le sucre, qui attire les micro-ondes, atteint rapidement une température très élevée et brûle.

— Pour la même raison, toujours utiliser un récipient en verre pouvant résister à des températures élevées pour faire réduire du sirop ou faire fondre du sucre.

— Pour bien réussir confiseries et pâtisseries, il est important de travailler dans une pièce froide et sèche car un excès d'humidité pourrait gâcher la préparation de certaines recettes à base de sucre cuit.

Ustensiles

— La saveur de certains fruits, particulièrement les plus acides, s'altérant au contact des métaux, choisir, pour passer le sirop de ces fruits, un tamis dont le treillis est fait de nylon plutôt que de métal.

— Avant de renouveler sa batterie de cuisine pour cuisiner avec un four à micro-ondes, il est bon de vérifier le contenu de ses armoires car tous les plats et moules de cuisson non métalliques peuvent être utilisés dans un four à micro-ondes.

— Utiliser de préférence des moules de forme circulaire et tubulaire pour cuire les aliments. La répartition de l'énergie des micro-ondes est telle que les aliments placés dans les coins de plats rectangulaires ou carrés tendent à cuire plus vite que ceux se trouvant au centre.

Ingrédients

— Râper du chocolat n'est pas facile car il a tendance à adhérer à la râpe et à fondre au contact des doigts. On peut contourner ce problème en réfrigérant le morceau de chocolat et la râpe avant leur utilisation.

— Les recettes du présent livre ont été préparées avec de gros œufs. Si on ne dispose pas d'œufs de ce calibre, mesurer la quantité d'œuf requise en considérant qu'un gros œuf correspond à 50 ml.

— Si les biscuits cuits au four à micro-ondes ne sont pas aussi dorés qu'on le souhaite, remplacer le sucre blanc par de la cassonade foncée; dans ce cas, prolonger quelque peu le temps de cuisson. Par ailleurs, on obtiendra des biscuits plus foncés en utilisant de la farine de blé entier.

Les mots des friandises cadeaux

Abaisse : Pâte que l'on amincit, au moyen d'un rouleau, à l'épaisseur désirée selon l'usage auquel elle est destinée.

Bain-marie : Récipient rempli d'eau bouillante dans lequel on en trempe un autre plus petit pour permettre à une substance de fondre et de se réchauffer doucement.

Blanchir : Plonger les fruits ou les légumes dans l'eau bouillante pour les éplucher plus facilement ou en atténuer l'acidité, l'amertume.

Confire : Procédé qui consiste à mettre des fruits ou des légumes en conserve. Le mot confit désigne donc un fruit ou un légume qu'on a imbibé de liquide puis qu'on a mis à sécher.

Conserve : Aliment ou variété d'aliments conservés dans une solution (sucre, vinaigre, sel ou alcool) et mis dans un récipient fermé hermétiquement.

Cristallisation : État du sucre cuit lorsqu'il perd sa transparence. La cristallisation peut être partielle ou complète comme dans le cas du fondant.

Cul de poule : Bol de forme demi-sphérique dont on se sert pour apprêter des sauces froides ou pour monter des blancs d'œufs en neige.

Douille : Petit ustensile conique que l'on place au bout d'une poche en toile ou en papier et dont on se sert pour décorer gâteaux, pâtisseries, etc. L'embout des douilles ayant diverses formes, on peut varier à l'infini l'ornementation des desserts.

Écume : Mousse qui se forme à la surface des confitures au cours de la cuisson.

Édulcorant : Substance sucrée (miel, sirop, sucre) qui permet d'adoucir un liquide ou une préparation amère et d'atténuer des goûts trop acides.

Frémir : Faire chauffer un liquide juste en deçà de son point d'ébullition.

Génoise : Pâtisserie légère originaire de la ville de Gênes, en Italie. La pâte génoise se distingue des autres pâtes par le fait que les œufs sont battus entiers, à chaud, c'est-à-dire au bain-marie. La génoise permet de réussir des préparations légères et délicates et sert de base à de nombreux gâteaux fourrés.

Historier : Opération qui consiste à couper de manière décorative les fruits, les légumes ou tout autre élément de présentation d'un plat.

Monder : Procédé consistant à enlever la pellicule qui recouvre noix, amandes et noisettes en les plongeant dans l'eau bouillante.

Paraffine : Substance solide blanche utilisée dans la fabrication des bougies, pour imperméabiliser le papier et fermer hermétiquement des pots de conserves.

Réduire : Action de faire évaporer un liquide pour en relever la saveur et le rendre plus consistant.

Substance anti-cristallisante : Substance empêchant la formation de cristaux lors du refroidissement du sucre cuit. Elle entre dans la fabrication des sucettes et bonbons transparents.

Zester : Peler la peau d'un agrume en la séparant délicatement de la membrane blanchâtre recouvrant la chair du fruit.

Les appellations culinaires

Abricot en chemise :	Moitiés d'abricot pelées, saupoudrées de sucre, enveloppées de pâte à choux, badigeonnées de jaunes d'œufs et cuites au four; servies saupoudrées de sucre glace.
Crème Chantilly :	Crème fouettée aromatisée à la vanille.
Dragée :	Amande ou praline enrobée de sucre durci.
Mincemeat :	Farce à tourte composée de bœuf, de graisse de rognons de bœuf, de jambon, de sucre, d'épices et de fruits secs. Le mincemeat est une conserve traditionnelle anglaise dont le principal agent de conservation est le cognac.
Nougat :	Confiserie fabriquée avec du sucre caramélisé ou du miel et des amandes, des noix ou des noisettes.
Piccalilli :	Condiment composé d'un assortiment de légumes cuits et conservés dans une sauce à la moutarde.
Pomme à la dauphine :	Pomme pelée, dont on a retiré le cœur, que l'on fait cuire au four et qu'on laisse refroidir; elle est servie sur un lit de riz Condé, le tout nappé d'un sirop à l'abricot aromatisé au kirsch.
Riz Condé :	Riz cuit dans du lait sucré aromatisé à la vanille.
Truffe :	Confiserie faite généralement de chocolat au beurre. La truffe est façonnée en petite boule de la grosseur d'une noix. Sa ressemblance avec un champignon très recherché lui a valu son nom.

Index

A
Antipasto mariné 100
Appellations culinaires 108

B
Bananes chocolatées 68
Biscuits à l'eau de rose 22
Biscuits deux tons 18
Bonbons aux dattes 60
Bouchées au beurre
    d'arachides 76

C
Caramel croquant 64
Carrés à la noix de coco 56
Chutney aux pommes 96
Confiseries : le sucre et
    sa cuisson (Les) 12
Confiseries cadeaux (Les) 34
Confiture de canneberges 92
Confiture de courgettes 88
Conseils 105
Conserves (Les) 14
Conserves à offrir 86
Croquant aux arachides 72

E
Écorces confites 82

F
Fudge aux noix 40
Friandises cadeaux (Les) 8

G
Gaufrettes à l'orange 44

M
Mots des friandises cadeaux 106

N
Niveaux de puissance 6

P
Pâtisserie (La) 10
Pâtisseries cadeaux (Les) 16
Petits dômes au chocolat 30

R
Roses de sable 36

S
Stades de cuisson du sucre 13
Substitutions 11

T
Table de conversion 7
Table des matières 5
Tableau des agents de
    conservation 15
Tire éponge 81
Toques aux noix et à l'abricot ... 52
Truffes au chocolat blanc 48
Truffes aux noix 50

V
Vaisseaux spatiaux au
    chocolat 26

Répertoires des trucs MO

Pour éviter la surcuisson
    des biscuits 21
Pour ramollir la cassonade
    durcie 29
Pour décorer les
    confiseries 33
Pour éviter la surcuisson
    des aliments 39
Comment adapter une
    recette de gâteau
    traditionnelle pour la
    cuisson aux
    micro-ondes 46
Pour faire lever
    les gâteaux 55
Des herbes fraîches à offrir ... 63
Pour évaluer la teneur en
    pectine d'un fruit 66
Pour confire des pétales
    de fleurs 70
Pour mesurer les
    corps gras 71
Ne pas trop pétrir la pâte
    d'un gâteau 74
Les sirops et le sucre
    deviennent très chauds 74
Des godets en chocolat 79
Des biscuits en damiers 81
Pour préparer une noix
    de coco 90
Pour faire les meilleures
    mousses qui soient 90
Pour bien choisir les légumes
    à blanchir 91
Pour réussir des confitures,
    gelées et marmelades
    bien fermes 94
Pour conserver le zeste de
    citron ou d'orange 98
Pour que la compote ne
    tourne pas à la purée 98

Ont collaboré à la Grande Collection
Micro-Ondes :

**Choix de recettes et assistance
technique :**
École de cuisine Bachand-Bissonnette
Conseillers culinaires :
Michèle Émond, Denis Bissonnette
Diététiste :
Christiane Barbeau
Photos :
Laramée Morel Communications
Audio-Visuelles
Assisté de : Robert Légaré
            Julie Léger
            Pierre Tison
            Julie Deslauriers
Stylisme :
Claudette Taillefer
Adjoints : Anne Gagné
            Nathalie Deslauriers
Accessoiriste : Andrée Cournoyer
Rédaction : Danielle Goulet
Révision des textes : Cap et bc inc.
Typographie :
Monique Magnan
Production : Marc Vallières
            Carole Garon

**Directeur artistique
et responsable du projet :**
Bernard Lamy
Conseillers spéciaux :
Roger Aubin
Joseph R. De Varennes
Gaston Lavoie
Kenneth H. Pearson
Réalisation :
Le Groupe Polygone Éditeurs Inc.

Les éditeurs de la Grande Collection
Micro-Ondes considèrent que les
informations qu'elle contient sont
exactes. Toutefois, la publication de
l'ouvrage n'entraîne aucune garantie
quant aux résultats des préparations
culinaires. De plus, les éditeurs
n'assument aucune responsabilité
concernant l'usage des
recommandations et indications
données.

Nous remercions les maisons
PIER 1 IMPORTS et LE CACHE POT
de leur participation à l'illustration
de cette encyclopédie.